國分功一郎
[illegible]雅也

言語が消滅する前に

GS
幻冬舎新書
634

はじめに

千葉雅也さんとお話しをするといつも考えることがある。

考えると言ったが、そこで考えられているのが、考えなのか、あるいはイメージのようなものなのか、実はよく分からない。感覚と言った方がいい気もする。

私たちは二人とも、たぶん、物事を個別的に考えることがとても大切だと思っている。だから、誰もがすぐに理解できて文句のつけようのない原理のようなものを使って理非曲直を正すことをよしとしない。事例に則して考えることを習慣にしている。

これを具体的であろうとすることと言い換えてもよいかもしれないが、私たち二人はしばしば抽象的である。なぜならば、二人とも、極度に抽象的であることによってこそ、個別的な事例の現場に届くことがありうると信じているからである。その意味で私たちは事例ごとに、事例に則して抽象的な話をしている。

ではこれは、あらかじめ一般的な原理など立てられないのだから、何ごとをもケース・バイ・ケースで考えようということなのだろうか。確かにある意味ではそうなのだろう。

だが、そのように言えば、ケース・バイ・ケースであること自体が原理になってしまう。いや、それを口にしなくてもいい。自分たちは何ごとをもケース・バイ・ケースで考えていると考えただけで、もうそれだけで、それが原理になってしまう。だから、千葉さんと私の間で私的には前提されているが、公的には語られていない原理のようなものがあると言うこともできない。

とはいえ、繰り返しになるが、だからといって原理がないと言うこともできないのである。そう言ったとたんに、それが原理になってしまうからである。原理はあるともないとも言うことも考えることもできない。

私が千葉さんと話していていつも考えるのはこのことである。やはりこれは感覚と呼ぶべきであろう。何らかの媒体に収録されることが決まっている対談をするときも、何気なく日常会話をしているときも、千葉さんと話をしているといつもこの感覚に襲われる。

おそらくこれは、二人が哲学に関心をもっていて、哲学に心引かれていることと無関係ではなかろう。少なくとも私たち二人が関心をもっている哲学はこのような感覚なしではすまされないもののように思われる。そして同時に、この感覚なしで哲学ができるならそんなに楽なことはないだろうとも思うが、現状では事態はそうなりつつあって、それがおそらく本書で言及したハイデガーの「言葉が公共性の独裁に隷従するようになっている」という箴言《しんげん》の意味するところなのである。

こんな感覚をもったままで話をすることなどできるのだろうか。どうしたらこの感覚をもったまま話をすることができるのだろうか。私たち二人はどのようにしてそれをやっているのかを知ってもらいたいと思って、本書を出版することに決めたのである。

　本書には二〇一七年以降の私たちの対話が収められている。それぞれは独立して企画されたものであって、五つの対話を貫くテーマが設定されていたわけではない。ところが五つを合わせて読み返してみると、私たち二人がずっと言語を論じていたことが分かった。しかもそこには一貫して、言語が何らかの仕方で消滅しようとしていることへの危機意識が読み取られた。

　議論の論点はもちろん多岐に及んでいる。だが、その背後にはつねに言語の消滅という観点がある。読者の皆さんにはそのことを意識しながら読んでいただければうれしい。私たち二人がものを考える際の姿勢や二人の考えが少しでも読者の皆さんの思考を刺激することを願っている。

　本書をまとめ上げるにあたっては、幻冬舎の小木田順子さんに大変お世話になった。心からお礼申し上げたい。

二〇二一年十月

四度目の緊急事態宣言が解除されたばかりの東京にて

國分功一郎

言語が消滅する前に／目次

編集協力　斎藤哲也
DTP　美創

第一章　意志は存在するのか

――『中動態の世界』から考える

対談日　二〇一七年三月三一日

「する」か「される」かではない行為

國分　今日は『中動態の世界――意志と責任の考古学』（医学書院、二〇一七年）の最初の刊行記念イベントです。タイトルに「中動態」という、聞き慣れない言葉が入っています。簡単に言うと、能動態や受動態の仲間です。昔の言語には、中動態という態があったんですが、だんだんなくなって、受動態に取って代わられたという歴史があります。

たとえば英文法では、能動態や受動態という「態」の概念を勉強させられます。能動態を受動態に書き替えなさいって、よく試験勉強でやらされたわけです。

千葉　「する」から「される」ですね。

國分　そうです。そのせいか僕らは、「態」には能動態と受動態しかないと思っていて、英文法を離れても、どんなことでも「する」か「される」に振り分けられるんだと、ぼんやりと考えている。能動でも受動でもないものと言われたら、なかなか思いつかないですよね。

ところが、言語の歴史をよくよく調べてみると、能動と受動を対立させる物の見方は――僕は本の中では「パースペクティブ」と言っていますけれども――、実は非常に新しいものである。本の中で僕が何度も言及しているバンヴェニストという言語学者は、そう言ってるんですね。

どういうことかというと、もともと対立していたのは能動態と受動態ではなくて、能動態と中動態だった。つまり、僕らは「する」か「される」かで行為や出来事を分類してしまうけれども、かつてはそれとは違う仕方で分類していたということです。しかも、それが小難しい哲学の理論としてあったわけではない。日常の言葉がそういうものだった。そこが非常に面白いなと思ったんです。

本の最初のほうで意志と責任の話をしています。人間の責任を問うとき、「これはおまえがやったんだろ」と言いますよね。「おまえがやらされた」のではなくて、「おまえがやったんだろ」と言える場合に、その人に対して責任を問うことができる。そして、そのように「おまえがやったんだろ」と言えるための一つの根拠が、「おまえにはこれをやろうという意志があった」ということなんですね。

ところが、その意志という概念を細かく分析していくと、非常によくわからないところがある。本の第一章で分析していることですが、大事なところなので、少し細かく話しましょう。

意志は意識と結びついています。どういうことかというと、無意識にやったことは、その人の意志でやったこととは見なされない。たとえば夢遊病者が歩いているとき、その歩いているという行為は、「その人が自分の意志で行っている」とは見なされないわけです。

意志（ウィル）は、意識（コンシャスネス）と結びついている。俺はこういうことをやってるぞと意識している、あるいは、まわりにこういうことが起こってるぞと意識している。意識していることは周囲や過去とつながっているということです。意志は周囲や過去に接続されている。

日本語だと「意志」と「意識」って、音が似ているから混同しがちです。むしろ英語で考えたほうがわかりやすい。「意志」と「意識」は「ウィル」と「コンシャスネス」ですから、まったく別物ですね。その意志は意識と結びついており、したがって周囲や過去と切り離せない。これはつまり、意志が必ず外部の影響下にあるということです。

ところが不思議なことに、意志は何ものともつながっていない、純粋な出発点だとも見なされることがあるんですね。

たとえば僕たちがカフェに入って、僕が千葉君に「頼むから紅茶を頼んでくれよ」と言って、千葉君が紅茶を頼んだとしたら、それは千葉君の意志ではなく、僕にプッシュされたことになる。でも、千葉君が僕の頼みを断わってエスプレッソを頼めば、その場合には、千葉君が自分の意志でエスプレッソを頼んだと見なされるわけです。

意志という概念の矛盾

千葉　僕は國分さんから頼まれたという、その前の経緯を切断している。つまり意志というのは切断ですよね。

國分　切断なんです。そう考えると、意志の概念には決定的な矛盾がある。「周囲」や「過去」と意識を通じてつながっていると見なされていると同時に、まわりから切断された純粋な出発点とも見なされている。意志は、このどうにも解消できない矛盾を抱えているんですね。

だから僕は、本の最初で、意志という概念を批判的に検討しています。なぜ僕らは日常的にこんな矛盾した概念を使っているのだろうかと問いかけるためです。そして、このことには、どんな行為についても「おまえがしたのか、それともおまえはさせられたのか」と尋ねてくる能動と受動に支配された言語が関係しているのではないかというのが僕の仮説です。

千葉　國分さんはそれを「尋問的」と言ってますよね。尋問する言語というのが、一時期から言語の当たり前のあり方になってしまった。能動・受動は文法の問題という感じがしますけど、そこには実は社会的な意味がある。尋問的に人に関わることが、われわれにはもう言語のレベルであらかじめセットされてしまっている。でも中動態が使われていた時代は、それがなかったかもしれないと。

國分　能動態と中動態を対立させる言語では行為の捉え方が違うんです。行為のプロセスが主語の外で完結すると能動態で、主語がそのプロセスの場所になっている場合には中動態が使われる。

恋い慕う気持ちを持つなど、自分が場所になって一つのプロセスが進んでいく場合には中動態が使われる。それに対して、ものをあげるとか、何かを切るとか、行為が自分の外側で終わるときには、能動態が使われるんですね。能動・受動とはまったく別の切り分け方です。

また現代の言葉では区別されないものが区別されるという事例もあります。たとえば、ペルシアの王様がギリシアのポリスを統治するために法律を定めるという場合は能動態です。

千葉　確かに、その切り分け方でいうと能動態ですね。

國分　主語はペルシアの王様であり、その主語の外で法の制定という行為が完結するからですね。それに対し、アテナイのデモクラシー、民主制ならば、自分たちを統治する法律を自分たちで作って、その下で自分たちが生活していくわけですね。この場合、法の制定は中動態で表現されます。アテナイの市民が主語であり、その主語が法の制定の場所になっているからです。

ところがこれら二つの場合は、いまの言語であったらどちらも能動態で区別されないんです。いずれも「法を制定する」ですから。中動態が存在していたときにはあった区別が消滅している。

これは、たとえば古典ギリシア語を勉強している人なら誰でも知っている事実なんですよ。中動態は古典ギリシア語の教科書に出てくる文法の一事項にすぎません。けれども、能動態と中動態の対立から、能動態と受動態の対立への移行、あるいは中動態の消滅と言ってもいいですが、これを哲学の視線から検討してみると、意志や責任の概念について非常にクリアーなことが言えるようになる。

そういう研究はこれまでも多少はあって、本の中でも紹介しているんですが、中動態を歴史的に正確に位置づけたうえで、それが僕らの物の見方を変えてくれるいかなるポテンシャルを持っているのかというところまで論じきった研究はなかったんですね。

依存症からの問いかけ

國分　僕の話が長くなっていますが、もう一つだけ、この本を書くことになったきっかけについてお話しさせてください。

本の冒頭に短い対談が載っています。これはアルコール依存症や薬物依存症の女性の自助グループをやっていらっしゃる上岡陽江《かみおかはるえ》さんとお話ししたことをもとにした、架空の対談です。

僕は二〇一一年に『暇と退屈の倫理学』という本を出版したんですが（朝日出版社、二〇一一年／増補新版、太田出版、二〇一五年）、この本がきっかけで上岡さんやグループの方々とお話しする機会を得ました。そこで知ったことに僕は強い衝撃を受けた。いや、衝撃というか、そこで生きられている苦しみみたいなものが自分と決して無関係でないという強い思いを持ったんですね。

自分も依存症と無関係ではない、これは自分の問題だと強く感じた。だから上岡さんがおっしゃる言葉の一つ一つが非常に心に響いた。

ところが、上岡さんが言っていたのは、自分たちの言葉が世の中にはなかなか理解されないということでした。

たとえば、上岡さんは、「回復とは回復し続けることだ」と言います。回復というと病気の状態から健康という状態に移行することのように思ってしまうんだけど、そうではなくて、ただ回復していくというプロセスだけがあるんだ、と。ところがこれがうまく理解されない。

薬物依存に関して、有名な「ダメ。ゼッタイ。」という標語があるでしょう？ 上岡さんたちは、「ダメ。ゼッタイ。」というのが「ゼッタイ、ダメ」だと言っています。意志の力で、「もうやりません、絶対やらない」と思っていると、絶対やっちゃうそうなんです。けれどもそのこともなかなか理解されない。

そもそも依存症を抱える人は、自分の意志で能動的にアルコールや薬物に手を出したわけではありません。心に苦しいものを抱えていて、それが薬物依存・アルコール依存のきっかけになっている。ところが世の中では尋問する言語が当たり前だと思われているから、「なぜ自分の意志でやめられないのだ。それはおまえの意志が弱いからだ」となる。

僕は依存症からの問いかけは、ある意味で哲学への挑戦だと思ったんです。二〇世紀には哲学の中で、近代的な責任主体、つまり意志を持って自発的に物事を選択して生きていく理想的な人間像というものの虚構が批判されてはいた。けれどもそれはある意味では批判に留まっていた。でも依存症に日常的に向き合っている人たちには、それがまさしく生きられた問題としてあった。意志や近代的主体を批判するだけでなく、まさにその先に進まなければどうにも対応できない課題に直面していた。

上岡さんは依存症からの回復においては、「ちょっと淋しいけど、ちょっと退屈だけど、まあいいか、こんなもんか」というぐらいの状態に自然に入っていけるようになることが大切だとおっしゃっていました。これは僕の『暇と退屈の倫理学』が論じていた問題です。上岡さんはこの本にもすごく関心を持ってくれました。この意味では『中動態の世界』は『暇と退屈の倫理学』の続きという側面もあります。

千葉　いまの話にあったように、この本は、依存症の話がまず出てくるという印象的なイントロになっています。自分が好き好んで意志的に酒を飲んでいるのかそうでないのか、薬をやっているのかやらされているのか。二項対立では説明できない「やってしまっている」というような状態が、中動態の具体的で現代的な問題として出てくる。

そこから、「する」「される」ではない行為の次元、プロセス的な次元をどう考えるのかという旅に入っていく、という流れになっているわけですよね。でも、あんまり言うとネタバレになっちゃうね（笑）。ほどほどにしないと。

國分　いやいや、ネタバレしていいよ。ネタバレを過剰に恐れる最近の風潮はおかしいんだ。

ネタがバレていても、いいものだったら見ても読んでも絶対感激するはずなんだよ。

文法には思想的な意味がある

千葉　では、続けましょう。そこで古典ギリシア語の文法の話になる。古典語というのは、一般的に言って、近代語と比べて複雑です。

國分　暗記しなきゃいけないことが多いからね。

千葉　細かい場合分けがあって、大変なんですよ。フランス語やドイツ語を勉強するのは大変だと思うかもしれないけど、サンスクリットをやるのに比べたら、近代語なんて楽勝に思えるくらいです。そのぐらい大変な古典語の話なのに、今回の國分さんの語りだと、不思議なぐらい面白いエンターテイメントになっていて、文法の謎が解かれていくわけです。

文法って、歴史的にどんどん変化するわけですよ。途中に文法学者も登場して、ある説が立てられると、それがずっと定説になってしまったりする。國分さんはそれらを丹念に、推理小説みたいに掘り起こしていくんですね。

文法には、単に言葉がこういう約束になってますよというだけじゃなく、思想的な意味があります。人間の考え方には、言葉の仕組みによってある程度縛られている部分がある。つまり、こういう言葉の使い方をするからこういう考え方になってしまう、という側面がある。そういう前提に基づいて、言葉が別だったら考え方も違っていただろうと、古代の中動態的な、プロセス的な発想を掘り起こしていくという形になっているわけです。

　その過程がすごくスリリングです。國分さんの本にはいつも、グイグイ読ませていくパワーがあるけれど、今回もそれは健在というか、ますます磨きがかかっている感じがしました。これ、案外早く読めてしまうんですよ。

國分　その感想は結構いただいていて意外でした。ギリシア語がどうしたこうしたという話が続くから、第二章ぐらいで引っかかって、みんなそこで読むのをやめてしまうかなって覚悟していたんです。買ってはみたものの難しくてよくわかんないよ、と言われるかなと思っていた。でも、本が出てすぐに「もう読了しました」という感想をいただいて、本当によかった。

千葉　文法の話を踏まえて、責任について考える。つまりサブタイトル「意志と責任の考古学」にあたる部分を膨らませるのが、この本の本当の狙いですよね。その膨らませる部分は、ハイデガーを使ったり、アレントと対決したり、哲学の話になっていて、当然面白い。

　文法の話というのは、そこに至るための手段なわけですが、僕の個人的な感想としては、この本は文法の細かい話こそが面白いんです。かなり玄人っぽいというか、しっかり研究されて書かれているけれど、読み物としても楽しめるものになっている。これはまったく驚くべきことだと思いますね。とても工夫して書かれている。

國分　文法の話は確かに手段なんだけど、でも、どっちが地でどっちが図かは難しいところですね。

僕や千葉君が研究してきたフランス現代思想や戦後の思想というのは、言語を問題の中心に据える哲学です。言語に焦点を絞ったところに二〇世紀の哲学の特徴があることは間違いない。そういう哲学に影響を受けて育ってきたわけだから、やはり言語に強い関心を持つわけです。

あと、これは本当に個人的なことだけれども、僕は言語についての哲学的な問いかけとは別に、端的に文法が好きなのね。規則が好き。規則が好きというと何か変な感じなんですけど（笑）、中高生のときも、文法書を面白がって読んでいました。だから、確かに文法の話は手段なんだけど、文法への関心が何よりも最初にある。

千葉　國分さんの言ってることはよくわかりますけど、一般的には文法なんかやりたくないという人が多いから、そういうことを言うと、やっぱりこいつ、おかしいんだなと思われる（笑）。

國分　でも、文法には説明の気持ちよさがあるんだよ。特に関係がないと思われていた複数の事柄とか、例外に思えていたものが統一的に説明される気持ちよさ。そこへの強い関心があったから、僕には、いつか文法について何か書きたい、自分の言語への関心についてケリをつけたいという気持ちはずっとあったんです。中動態という切り口を得て、その思いを果たすことができたと思っています。

千葉　國分さんの研究はスピノザから出発していて、この本にもスピノザが登場します。スピノザはヘブライ語の文法書を書いていて、主著の『エチカ』はラテン語で書いている。ということは、スピノザはラテン語の文法にも意識的なはずだ。國分さんはそういう推測を立てて、ラテン語のどういう活用形で書いているのかまでをしっかり考えないと、実は『エチカ』は読めないんだと書かれていますね。

國分　スピノザは『ヘブライ語文法綱要』というヘブライ語文法の本をすごく楽しそうに書いています（残念ながら未邦訳ですが、いま翻訳作業は進んでいると聞いています。僕は仏訳で読みました）。哲学者で、文法書を書いた人ってスピノザぐらいでしょう。

千葉　ヘブライ語文法は、友人たちに教えるために書いたんでしたっけ。

國分　執筆の経緯は十分にはわかってはいないんだけれども、友人たちに頼まれて書いた本らしいと言われています。スピノザは幼い頃にユダヤコミュニティの学校に入って、ヘブライ語についてのエリート教育を受けています。だから、自分が使った教材があったはずなんだけど、わざわざ自分で新たに教科書を書いている。それはやっぱり彼自身が、文法そのものに関心があったからだと思うんです。一つの言語を統一的に説明しようという思いですね。

　僕はヘブライ語はまったくできないけれど、専門家によれば、スピノザは、一般的なヘブライ語文法の分類とは違う分類でこの言語を語っているらしい。そこにはできるかぎり多くの事象を統一的に説明できる法則を見つけ出そうとするスピノザの態度が読み取れます。

それにしても、哲学者が文法書を書くというのは本当に興味深いことです。皆さん、中高生のときに英文法の参考書を使ったと思いますが、あのスピノザがその手の本を書いたということなんです。変わっているといえば変わっているけれども、文法好きとしてはスピノザの気持ちがすごくわかる。だいたい自分が勉強した言語については、「こうやって勉強するとよくわかるよ」と人に言いたくなるものなんですよね（笑）。

古典語を勉強する魅力

千葉　『中動態の世界』を読んで、趣味で古典語の勉強を始めるというのもありですよね。近代語でも、そもそも語学というのはどんな言語だって奥が深くて、完璧にマスターするなんて無理じゃないですか。そう割り切って、ある程度やって、ちょっと短いものでも読めるようになれば、十分趣味として成り立つ。その意味で、古典語を勉強するのは魅力的なことだと思うんです。

ここで古典語と言っているのはギリシア語・ラテン語のことです。この本は、ギリシア語・ラテン語の全体像を説明しているわけじゃないけれど、いいガイドになっています。

それはどういう点から言えるかというと、中動態に関わる文法の、わかりにくいポイントの読解をしているところです。古典語には、動詞の特殊な活用形のように、「本来ならこういう形にはならないんだけど、昔の名残りでこういう例外があります」というわかりづらい文法事項がけっこうあって、勉強していて、つまずくわけです。普通、そういう例外事項は、覚えるしかない「覚えもの」として扱うことが多い。

ところが、今回の本では、そういう例外扱いされるようなケースが、実は中動態が消えていった経緯に関わっていて、そこを遡《さかのぼ》ると、それは単なる例外ではなくて、昔の事情と関係していることなんだとわかる、という解説をしている。つまり、文法事項のわかりにくいところを「覚えもの」で片づけないで、ちゃんと遡って理由を考えましょうということをやっている。その意味で、國分さん自身が、徹底的に文法の勉強をしている本なんですね。

國分　そういうことになるね（笑）。

千葉　文法の勉強はごまかしちゃダメで、ちゃんと理由を考えないといけない。文法には歴史がある。歴史を押さえることこそが、文法を最も効率的に勉強する、真に勉強するということなんだと、あらためて思いました。

この本を読んでからギリシア語の教科書を読むと、たぶんいくつかのポイントで、「あっ、これ、國分さんがあそこで解明していたあの話だ」と、謎が解ける段階から勉強し始められる。僕自身、ギリシア語もラテン語も途中で放り出してしまっているんですけど、この本の知見を踏まえて、もう一回勉強し直したら面白いんじゃないかと思いました。これまでの文法学の重要な参考文献も紹介されているので、それらも参照できますし。

國分 やっぱり文法の勉強は最高ですね。僕も一念発起するという感じで、東京の神田にあるアテネ・フランセという語学学校に通いました。毎週土曜日の午前中ですよ（笑）。

千葉 この本は國分さんの語学学習の成果なんですよね。

國分 そうなんだよ！ アテネ・フランセの初級クラスから学びました。

話が逸れちゃうかもしれないけど、僕も千葉君も大学で教えているのでいつも先生なんですよね。でも、僕は先生をやることに少し疲れていました。生徒になりたい、教わりたいという気持ちがあった。だからアテネ・フランセに行って、久しぶりに生徒として徹底的に教わる経験をして大きな満足がありました。

先生をずっとやるのってなんか嫌でしょう。先生はやっぱり偉くなきゃいけないから、先生としての権威を維持するためにいろいろしなきゃいけないこともあるし（笑）。

千葉 気を張って疲れるとか。

國分 そう、それもある。ともかく、生徒をやることの心地よさは大きかったですね。先生の一言一言に対して「はい、わかりました」みたいな感じが、とてもいい。皆さんも「最近、生徒をやってないな」と思ったらどこかに教わりにいくといいですよ。

勉強には中動態的な良さがある

千葉　教わり方にも経験値がありますよね。若い頃は上からいろいろ言われると、どうしても反発したりする。そういう時期を通過すると、ひたすら教わってどんどん吸収することを、素直に楽しめるようになる。年齢的にもそういう段階なのかもしれない。

國分　そういう面もあるかもしれないね。

千葉　学ぶって、素直にやったら楽しいですよね。あとは、いい先生に当たったらね。神田の先生はとてもいい先生だったんでしょう？

國分　僕が教わった島崎貴則先生はすばらしい先生で、ギリシア語に限らず言語についていろいろ面白いことを教えてくださいましたね。

　教わることの快感って、ある種のマゾヒズムかもしれないですね。身を委ねる快感というか。『中動態の世界』の編集の最終段階で、医学書院の白石正明さんから「著者紹介欄にはちょっと面白いことを入れてください」と注文されたので、「最近ハマっているのは空手」と書いたんです。いま、空手をやってるんだけど、道場には当然、僕より級が上の小学生とかいるわけ。向こうは先輩だからね、「よろしくお願いします」と言って、型を教えてもらう（笑）。それでも嫌な気持ちはまったくない。むしろ清々しい。実力だけの世界だから。

純粋に学んでいるときって気持ちいいです。年齢に関わる秩序などといった社会のいろんな決まりごとから外れて、ただ教えてもらうことだけに身を委ねる気持ちよさは、昔よりわかってきたかもしれない。

千葉　それは思いますよ。研究や勉強を重ねていると、生徒になるなり方も更新されていきますよね。だから勉強って、ずっと続けていると、どんどん楽しくなると思うんです。

國分　僕は「研究」という言葉に昔から抵抗があるんだよね。「究《きわ》める」ってのがおこがましく感じる。僕は自分のやってることは研究じゃなくて勉強だと思ってますね。勉強とは、「強いて勉める」でしょ。「強いて勉める」ことが大事ですよ。

千葉　究めることはないですか。

國分　究めるなんていうことはない。この本も勉強の成果なんです。

千葉　先ほどの「回復することとは回復し続けること」という話と絡んできますね。勉強も中動態だと。

國分　そう。勉強し続けるプロセスだけがあるわけだから。

千葉　何かを達成するとか、そういう能動的な発想が間違いですね。

國分　研究というのは非常に能動的な言葉だからね。

千葉　自分の外部で何かが完結するってことでしょ。

國分　そういう感じ。勉強には、そうじゃない、中動態的な良さがある。「強いる」とか、「勉める」とか、そういうのは大切ですよね（笑）。

法律的発想で取りこぼされるもの

千葉　ではそろそろ、具体的な質問をしていきましょう。
まず、われわれは能動態か受動態かという二元論の世界に入っていて、そうすると、責任を帰属させる、帰責性ということが問題になる。それに対して、國分さんは、自分自身があるプロセスの中にいるという中動態的な状態を復権させようとしています。では、責任の問題は最終的にはどう考えればいいのか。國分さんはそもそも責任という概念をどうしたいのか。そこが聞きたいところなんですよ。

　たとえば依存症患者に対して、「薬に手を出したのは自己責任だからおまえが悪い」と言うのがまずい、ということはわかります。まずいという観点を保証するために、われわれが属している帰責性のシステムとは違う、中動態というあり方を復権させているわけですよね。しかし、じゃあそうなったときに、依存症の人に対してどう言えるのか。あるいは、責任の概念一般についてどう言えるのか。そこはどうなんですか。

國分　そこは正直言って、『中動態の世界』を書いている段階では十分にはわからなかったんです。だから副題に「意志と責任の考古学」とあるけれども、意志についてはそれなりに考察を深められたのに対し、責任についてはまだまだこれからだという気持ちがあります。

　ただ、僕らが属している帰責性のシステムでは、僕らが直面する諸問題には対応できないのだという気持ちは強くあって、その気持ちから書いたのが最終章の『ビリー・バッド』論です。『ビリー・バッド』では法律が人間の事象にうまく対応できない。四角四面なものであるがゆえにさまざまな悲劇が起こる。今回はそのことを指摘し、それをなんとかしなきゃいけないというところまでしか言えませんでした。

　また、本にも書いているように、われわれが社会を動かしていくときに利用してきたのは法律だけじゃない。法律は現在、社会を最も包括的に規制している規則ですけれども、僕らが従ってきた規則はそれだけじゃない。宗教もそうだし、文法もその一つでしょう。

千葉　なるほど。言い換えると、世の中は、法的な帰責性の判断だけで動いているわけじゃないということですよね。法的に責任があるから悪い、ないから悪くない、ということだけで動いてるわけじゃない。

　僕の言い方でいうと、もっとグレーゾーンで動いていることがたくさんある。たとえば何かが表立って問題になると、責任を法的に問うという話になるけど、そうなる前のところ、水面下でのやりとりとか、内々で処理するとか、そういう次元で、物事を調整したりということがある。

世の中ではそういう次元がすごく大事であって、何でもオープンに、どっちが悪い、どっちがやったんだ、やられたんだという話にしてしまうと、多くのリアリティが取りこぼされてしまうわけです。

國分　『中動態の世界』は法律の発想そのものに限界があることを指摘するに留まっています。確かにそうなんだけど、この本は、人間の行為を位置づけたり、記述したりするカテゴリーをもう一回考え直すための基礎理論として出したつもりなんですね。この基礎理論をどう応用するかに関しては、僕はまだ依存症について十分にわかっているわけじゃないし、法律の専門家でもないので、本を読んでくれる読者の皆さんと一緒に考えていきたいと思っています。

ただ、僕らが使っている言葉の文法が、いまの社会を規定している法律の発想に密着しているということは言っておきたいと思います。言葉を一度そこから剝がして考えないといけない。僕らは常に法律的にものを考えるようになってしまっているからです。そこにはやはり、尋問する言語の影響があるだろうと思います。

近代的デカルト方式に対抗したい

千葉　尋問する言語ということで言うと、國分さんの最初の著書である『スピノザの方法』（みすず書房、二〇一一年）でも、スピノザに対して、デカルトを尋問する哲学者と位置づけていましたね。二人を対照させて、デカルト的なやり方ではない考え方を提示する、というのがあの本でした。だから、尋問的になってしまった時代にどう対抗するかということが、一貫して國分さんの課題なんですよね。

國分　でも、僕自身はすごく尋問するタイプなんだよね（笑）。

千葉　そうですよ。國分さん、めっちゃ尋問的な人じゃないですか。「責任とれー！」というタイプでしょう。だから、そこは裏腹ですよね。

國分　本を書くことでなんとか自分自身を反省しようとしているのかもしれない。

千葉　バランスをとろうとしている？

國分　そうですね。『スピノザの方法』で描いたデカルトの考えというのは、真理は共有できるエビデンスであるときに初めて真理として認められるというものです。言い換えれば、言い返せない真理が真理である、と。「私は考えている、だから存在している――君、これに論駁《ろんばく》できないだろ。できないよね。だから真理だ」というような感じなわけです。

それに対してスピノザは、真理を獲得した人にはそれが真理だとわかると考えました。だから、デカルトの先の命題についても、デカルトのように証明の形にはせず、単に、「私は考えつつ、存在しています」と言った。

これには証拠も何もない。単に実際にそうであるというわけです。それを否定する人間は実際にはそうは思っていないくせにただ口先で疑っているだけだ、と。スピノザのすごいところは、そんな人間とは話はできないとまで言っていることですね。デカルトは何でも疑う懐疑論者を尋問して説き伏せようとしたけれども、スピノザはそういう人間をまったく相手にしていない。

デカルトとスピノザとではこんなふうに真理の考え方がまったく違うわけですが、近代はデカルト方式できたというのが僕のあの時の主張でした。

千葉　近代というのはまさにそうですね。

國分　僕自身もデカルト的に生きてきたという感覚は強くあります。

千葉　われわれは近代人ですからね。

國分　ただ、さっき「エビデンス」という言葉を出したけれども、エビデンスだけを信じるという傾向が強くなりすぎているという現状もあります。最近、千葉君はエビデンス中心主義批判をしてるよね。

千葉　何事にもエビデンスの「体裁」が必要だという風潮が嫌なんです。

國分　その気持ちは僕も共有します。ただ、エビデンス中心主義に対して別の方向性を示すのは意外と大変なんですね。『スピノザの方法』のときは、スピノザを通じて別の方向を示そうとした。『中動態の世界』では、かつて存在した文法に依拠しながら尋問する言語に挑戦するという仕方で同じことをやっているのかもしれない。

アレントがたどりついた「非合理的な意志」

千葉　次は、意志の問題について議論しましょう。

今回、いちばん大きな登場人物はハンナ・アレントですよね。アレントが『精神の生活』（上下、岩波書店、一九九四年）で提示している意志の定義に対して、疑義を呈しています。國分さんはそれに抗うというか、これでは哲学的におかしいという形で、意志論とは違う系譜としての中動態に話をもっていくわけですよね。あそこは、國分さんが独特の反応を示している感じがしました。つまり、アレントの議論に対する、國分さんの「わからんぶり」が、ちょっと独特だなと思ったんです。

どういうことか順を追って話しますね。この本では最初のほうでベンジャミン・リベットの実験などが紹介されて、われわれは通常、意志をもっていると言うけど、結局、脳にはあらかじめ傾向性があって、われわれは、それが徐々に実現されていく形で行動している。

あるいは、古代ギリシアにはポテンシャリティの議論があった。人には、自分が何事かをしようとするその可能性が既にあって、それで人は何かをする。だから、自分が完全にゼロの出発点になって何かをするということはなくて、全部後ろに経緯が、脈絡がある。つまり、古代でも現代でも、人はある流れの中で何かをしていると考えるわけです。そうすると、ゼロ地点から何か新しいことをいきなりバッと立ち上げる意志という概念は、そもそも成り立ち得ない。國分さんが言っているのは、そういう話ですよね。

國分　まったくその通りですね。

千葉　そして、アレントは『精神の生活』で、古代ギリシアには意志概念は明確な形では存在しないと書いた。アレントは、古代ギリシアの意志概念はすべてポテンシャルだと。過去に事情があるから何かをするということであり、本当の意味で、未来に向けて跳躍するように行動することにならない。だから結局これまでの哲学史は、未来に向けての意志という議論に対する反対を表明していたと読み取れる、と書いてるんですね。

國分　そう。アレントが言っているのはそういうこと。

千葉　そして國分さんは、なぜそこでアレントが、未来に向けての絶対的なゼロからの意志というものを擁護する方向に進むのかがわからない、と書いている。つまり、アレントの道行きが通常予測されるのとは逆じゃないかと言ってるんですけど、僕は、逆だと思わないんです。そこに、何か國分さんの独特の感覚が出ている。

　さらに言うと、『中動態の世界』は、読者をどんどん巻き込んでいく書き方になっていますね。アレントの議論の進め方についても、「もしかするとさらりと読めてしまうかもしれないが、これはかなり慎重に読まなければ、議論の前提と向かう先がよく分からない難解な一節である」と言っている。少し意地悪な言い方なんだけど、このあたりから、読者を巻き込むというより、國分さんの実感になってくるんですよ。

どういうことかというと、國分さんの本の魅力というのは、國分さん自身が疑問に思って立てた問題に、読者を自然に巻き込んでいくところにあります。実は國分さん自身が抱えている問題なんだけど（笑）、読者が、一般的に重要な問題であるかのようにみんなで考え始めてしまう。そうやって「よし、一緒に考えよう」となるところが、國分さんのスタイルなんです。

本全体として、それにすごく成功しているんですよ。ただ、このアレントのくだりに至っては、急に、「あれ？　これ、國分さんの問題に巻き込まれていただけなんじゃないのか」という感じがしたんです。要するに、巻き込みに少し違和感を覚える。だから、アレントの議論のもっていき方が不自然だという國分さんの感覚が独特だなと僕は思った。そこはどうですか。

國分　言ってることはわかります。ハンナ・アレントという人は非常に人気もあって有名で、よく読まれているんですけど、極めて読みにくい人なんですね。その読みにくさの理由がたぶん、まだ解明されてない。僕はアレントについても論じたいと思ってて、アレント論を書くならぜひそこを解明したいと思ってるんだけれども……。

千葉　そう、だからまたその問いに読者を巻き込むわけです。「読みにくい」というのは要するに、國分さんがわからないということなのに（笑）。もちろん、ぜひまた巻き込まれたいですけど。

國分　確かに僕自身がわからないだけということかもしれません（笑）。自分でもそのことは少し意識はしているんだけれども、どうにもならないというか……。自分のわからない問題に読者を巻き込んでしまうところに僕のアプローチの独特なところがあるのかもしれません。

　本の記述を補足すると、意志を擁護したいというアレントの意図と気持ちはわかるんだけど、それは無理筋でしょうということになるかと思います。いわゆる合理主義に基づいて考えるならば、意志という概念を、さらには、アレント自身の手で定義された意志の概念を、支持することは不可能である。そういうことになると思います。

千葉　そう。合理的な発想でいくと、そうなるんですよね。意志はだって、現実には常に他の事情に依存してるから。

國分　そうなんだ。合理主義というのは必ずどんなことにも原因があると考えるから。だから、ゼロの出発点としての意志概念は支持できないはずなのに、アレントはこれをなんとしてでも死守しようとする。それは無理やりなことに思えました。

　だから、ここは意識的に合理主義的な立場からアレントを読んでいるということだと思います。言い換えれば、意志の概念を支持するならば、合理主義以外の何かに依拠しなければならないはずですよというメッセージですね。

スピノザ的に読んでいると言ってもいいかもしれない。実際、アレントはスピノザに対して否定的でした。おそらくスピノザのことを重要な参照点の一つとして念頭に置きながら、哲学の伝統は意志の概念を論じることができなかったのだとアレントは指摘しています。そのアレントに批判的な立場を取るとき、僕自身は、アレントが批判している合理主義の側に身を置いてるんだと思う。

たぶん千葉君はその僕の身の置き方に、どこか自然ではないものを感じ取った。そこで感じ取られたものって、もしかしたら、「哲学は合理主義でなければいけない」という僕の無意識の前提じゃないかな。

千葉　なるほど。僕としては、テクスト読解として言ったら、アレントの筋に素直に沿って行けば、単に非合理的な意志を肯定する方向に行くんだと思うんです。非合理的な意志というものが認められるかどうかはともかく、単なるテクスト上の事実としては、アレントはその筋に行っている。

だから、國分さんがそこで、そう行くはずがないということを、何か意味を含ませて出されたので、僕は「あれ？」と思ったということなんです。

國分　細かい話になってしまうけれど、アレントにおいて意志という概念がクローズアップされるのは最晩年のことなんですね。アレントは「自由」を盛んに論じ続けたけれども、その際、彼女が強調していたのは、われわれは自由を、いわゆる「意志の自由」としてしか考えられなくなっているということでした。

彼女は「意志の自由」を、中世哲学の言葉を使ってラテン語で「リベールルム・アルビトリウム」と呼んでいます。つまり言い換えればアレントは、自由の問題をリベールルム・アルビトリウムの問題に還元してはいけないと言ったわけです。

千葉　リベールルム・アルビトリウムというのは、経緯があっての選択という概念なんですよね。だから、そもそもアレントが自由と言うときは、最初から、絶対のゼロから始まるような自由というものを意味してたということなんですよね。

國分　そうです。「始める」ということです。なぜそうなるのかというと、アレントが言う自由とは政治的自由のことだったからですね。みんなで集まり、自分の考えていることを言葉で表明し、同意を取り付け、何かを始める。そうした一連の過程の総体を指して自由と言っていた。

晩年のアレントが考えていたのは、政治に参加するという自由を突き詰めていくと、意志の話は避けられないということだったんでしょう。「リベールルム・アルビトリウム」とは区別される、絶対的な始まりとしての意志です。

千葉　公衆の面前で、自分が何事かをオープンに言うとは、自分が絶対的な起点になることだ、ということですね。それはフーコーに言わせれば、パレーシアの問題でしょう。

國分　パレーシアというのは古代ギリシアの言葉ですけど、自由に、何のわだかまりもなく、考えていることを口にするという意味の言葉ですね。

千葉　各方面への配慮とか一切なしに、どんなに攻撃されようと、炎上しようと、自分が正しいと思っていることをそのまま言うのがパレーシアです。最近、本当にパレーシアなんてできなくなってきましたね（笑）。パレーシアが必要だと思うわけですが。

國分　その通りです。そしてアレントの考えは、パレーシアが大事だということでしょう。そしてその哲学的な根拠を考えようとして、たぶん、ゼロからの意志にたどりついた。

千葉　非合理的な意志ですね。

「無からの創造」を認めるのか

國分　キリスト教で「無からの創造」という考え方がありますね。アレントはハッキリと言っているわけではありませんが、意志を無からの創造に重ねています。

でも合理主義的には無からの創造は認められません。だから僕はアレントを論じた箇所で、アレントの意志の概念を支持する人に対して、「これを支持するということは、つまり無からの創造も認めるんですよね」と問いを投げかけたことになります。

千葉　そうなりますね。

國分　千葉君はまさしくそこに引っかかりを感じてくれたわけだよね。僕は意志について書いているとき、実は千葉君のことを頭に思い浮かべていました。僕は「切断はうそだ、絶対つながっているんだ」と書いているけれども、その時、『動きすぎてはいけない――ジル・ドゥルーズと生成変化の哲学』（河出書房新社、二〇一三年／河出文庫、二〇一七年）で「切断」について論じていた千葉君のことを考えていました。

もし切断を、たとえば無からの創造まで含めて肯定するとなると、非常に厄介な問題が出てくる。千葉君にそこまで言うつもりはないけど。

千葉　いや、それは僕は引き受けてるんですよ。僕には無という主題があるから。

國分　ものすごくややこしい問題が出てくるけれども、千葉君としては無からの創造を認めるということだよね。

千葉　ある意味、認めることになるんでしょうね。

國分　認める立場はありなんです。それは別に神学者になるということではない。たとえば精神分析は無からの創造を認めるでしょう。ジジェクもどこかで、精神分析という行為は既存の象徴秩序の破壊を伴っており、それは無からの創造を認めることだと言っています。

僕はある一定の立場からは無からの創造が支持され得ることは知っていて、知っているからこそ、無からの創造は自分は認めない、と言っているわけです。これは「それを認めるのならば、いろいろ引き受けなければならなくなりますが、いいですね？」という問いの投げかけなんですね。

千葉　ちょっと補足します。僕は今回、アレントの件でなるほどと思いましたけど、これはサルトルもそうですね。サルトルが言ってる自由も、基本的に無からの創造です。人間がいままでの文脈とまったく関係なく、その人が起点になって新たな行為を起こすことであり、それが革命につながる。そういう発想ですよ。

そもそもカール・シュミットがそうだった。シュミットが言う決断とは、事実上、神学的な無からの創造だということは、確かレーヴィットか誰かが批判している。

だからアレント以外にも、ある種革命的な、新しい行為を始めるタイプの自由を主張する議論では、人間がまるで神であるかのように、無から行為を引き起こせることを支持するという系譜がある。

今回、國分さんはそれを問題にして、そうではなく、もっとプロセス的、連続的な状態のほうを基本として考えましょう、という話をしてるんですよね。

ややテクニカルな展開をします。僕が思うに、スピノザの世界観だと、この世界が神、すなわち自然なわけですよね。それ自体は自己原因で、内在的なものとしてある。その中で、われわれ個々人は、巨大な布地みたいな神様の中のひだのようなものとして存在している。僕はスピノザにおいて、世界の始まりがどう言われているのかはわからないし、そういう議論があるかどうかもわからない。でもともかくも、神、自然が自己原因であるわけですよね。

すると、推測的な議論になりますが、アレント的あるいはシュミット的、サルトル的な意味での決断する人間は、まさに自己原因的な存在者と言えるんじゃないか。だから、彼らの議論を認めてしまうと、スピノザ主義に反対することになる。つまりスピノザ的な神の自己原因性を、個々の存在者に認めることになる。個々の存在者が巨大な布地のひだであるどころか、全部バラバラになって、それぞれが内在的な神になっちゃうという話なのかなと思うんですが。

國分　そうだと思う。スピノザは神という名の実体に始まりはないと言ってるから、それを明確に否定しているわけですね。

千葉　なるほど。ずっとプロセス、ずっとプロセスなんですね。

國分　ずっとプロセスしかないわけです。当然、自己原因としての一人一人の決断というものも認めない。だって、それはさまざまな原因によって規定されているにすぎないからね。千葉君の指摘はまさしくその通りで、スピノザ的な見方とアレント的な見方は全面的に対立する。

今回僕は、スピノザのほうに立って、アレント的な見方を批判しているけど、僕自身、アレント的な見方をそんなに簡単に斥《しりぞ》けられるとは考えていません。何というかな、人間主義的な見方、人間ぐらいの知性で世界を見たときには、やっぱりアレント的な見方が必要になると思うのね。たとえばアレントは、人間には奇跡を起こす能力があると言っている。

千葉 そういうことを言うのが、アレントのよくわからないところですよね。

國分 でも、それは実は簡単なことで、それまでの物事の流れを中断できる、ぶった切ることができるのが奇跡なんだと言っているわけ。だから、イエスの奇跡も、水の上を歩いたとか、五個のパンをたくさんに増やしたとか、そういうことじゃなくて、いままで起こっていた物事の流れを中断して、流れを変えるという点で、イエスは奇跡を起こしたんだと。

僕はそこはピンと来るんです。その意味での奇跡はいろんな人に起こせることだし、実際、起こっている。

千葉 流れを変える、空気を変えるということですね。

國分 歴史とはそういう奇跡でできているというアレントの主張もその通りだと思う。確かにスピノザ主義的な神の視点から見たら、そこにも全部原因があるという話にはなってしまう。でも、人間ぐらいの知性から見たら、歴史には確かに物事の流れの決定的な中断は見いだせる。だから、僕自身はスピノザ的な見方とアレント的な見方を使い分けているところがあります。たとえば、「アラブの春」のきっかけは、チュニジアで一人の男性が屋台を警察に取り上げられたことに対して、焼身自殺で抗議したことにあると言われています。それがきっかけになって、あんな大きな革命的な出来事が各地で起こった。もちろん、背景にさまざまな要因があったことは間違いないし、それもある程度は説明できるでしょう。しかし、物事の流れの決定的な中断があったという見方は可能であって、その意味でアレントの言う意味での奇跡が起こったわけです。この場合、その奇跡の発端は悲しむべき悲劇的な事件だったわけですが。

だから僕はアレント的な切断や奇跡をまったく認めないわけではなくて、そこは使い分けたほうがいいと思っている。だけど、この本ではとりあえず一度、いまの僕らの、尋問する言語に侵されまくったものの考え方を、スピノザ的な視点で全部説明したかった。

千葉　僕らのというか、國分さんの、ということですね。

國分　そうだね、僕が侵されまくった考え方です（笑）。

千葉　それをまず中和しないと、ということですね。

プロセスの中にある「中断」

千葉　なるほど。いまの話で思いついたことがあるんです。

僕は『動きすぎてはいけない』の中で、本当に非合理的に、まったくの偶然性で生じる切断について議論しています。これに対して國分さんがとっている、ある種の合理的因果性の立場は、連続的に経緯があることをメインに置いている。だからぶつかるんじゃないかという指摘でしたよね。

ただ、僕は確かに切断ということを言うけれど、それはアレントみたいに能動的な切断じゃないんですよね。僕の切断は、あるプロセスが続いていて、そのプロセスの中に自分がいて、それがはたと切れるという話なんですよ。だから僕は、中動態的な状態と切断というものを組み合わせて話をしているんだなあという自覚が、ちょっと湧いてきました。

國分　切断と言うより、中断みたいな感じかな？

千葉　そう。最近、僕は中断という言い方をしています。例外状態とかそういう大袈裟なことじゃなくて、もっと日常的に起きる中断に興味がある。

　依存症的なプロセスから別のプロセスに変わる、何かへの依存から別の生き方に変わるというときも、決定的にプロセスを終わらせるのとは違う、中断的な何かが関係しているのではないかという直観もあります。

國分　何かがガラッと変わるということじゃなくて、中断が重なって少しずつ変化が訪れる。複数の中断がレイヤーをなしている、そういうイメージかな。だとすると、千葉君が言ったような中断の思想は、決して中動態の哲学と矛盾しない。

千葉　そうだと思います。中動態は、プロセスがずっと続いているだけではなく、プロセスが中断されて切り替わったりすることも問題になるんだろうと思うんです。そこがもしかすると、僕の話とつながるところなのかもしれない。

あとはもう一つ、國分さんの政治的立場にしても、ガラッと変えるような革命じゃないというメッセージは感じられますよね、一念発起してすべてをひっくり返そうとする意志的な革命ではダメだということでしょう？

國分　まあ、そうですね（笑）。

千葉　そうじゃなくて、もっとプロセス的なものだということですよね。改良主義のように言われることもあるんじゃないですか。

國分　それ、前から言われてたよ（笑）。『暇と退屈の倫理学』のときすでに、確かこれは何か新手の改良主義じゃないのかって言われたんだけど、改良主義で何が悪いと思っている。

心の中にはむしろ、物事がドカーンと変わることを欲する気持ちがあるんですよ。でも、そういう自分の中の気持ちに抗っているんです。

千葉　そこに流されたらまずいと。

國分　そう、ついそこに流されそうになるから。僕は、地元で住民投票運動に関わっていたときがあるんですけど、いったん成立した条例に後から投票率の成立要件を課すという意地悪なことを当時の市長がしてきて、その時は本当に腹を立てていました。毎日活動していて夜はへトヘトだったので、夜中、息抜きにビール飲みながら昔のロボットアニメとか見ていたんです。すると、敵をババーンと破壊して事態が進んでいくじゃない？ ああいうのを見て、「あんなふうにして話を進められるならいいなぁ」とか思ってたの（笑）。本当に大変だったから、寝る前だけはそういうことも考えてた。

でも、政治は絶対にそういうふうには進まないんです。むしろ破壊したら、悪い方向にしか行かない。

千葉　そうでしょうね。

考えるディスポジションを育てる民主主義

國分　それで思い出しましたが、『中動態の世界』では、実は一カ所だけ、註のところで、住民投票の話をしています（第5章註49）。アレントの政治概念を批判すると、もしかしたら政治に対して絶望する人が出てくるかもしれないと思って、先回りして書いたんです。

どういうことかというと、ハンナ・アレントは、意見をもった立派な大人が集まり、意見を言い合って一致を探り、その一致に基づいて権力を作って、その権力をみんなで動かしていくのが政治ですという、大変すばらしいビジョンを出しているわけですね。

だけど、そんなふうに意見をもった人たちが集まることはないし、あらかじめみんなの心の中にきちんとした意見があることもあり得ない。そもそも意見があってもうまく表現できない人もいる。一致にしても、それを作り出そうとすればどうしようもない対立が起こる。アレントの理想は本当に理想なんですね。

では、この理想を批判することは政治に絶望することだろうか。僕はそうじゃないと思う。中動態の概念はプロセスと関わっているけれども、この中動態的なプロセスの考えから政治を考え直せる。僕が住民投票のときに感じたのがそれだった。どういうことかというと、住民投票で大切なのって、最後の投票するときじゃなくて、そこに至るまでのプロセスなんですね。

投票までのプロセスの中で、たとえば「なんか住民投票があるらしいよ」と買い物中に会った近所の人と話す。イベントがあったり、チラシがきたりして、いろいろ情報が流れる。そういうプロセスの中で少しずつ、人が論点について知り、考える。あらかじめしっかりした意見をもっている人が集まる政治じゃなくて、投票によって期間が区切られることで、意見や世論が作り上げられていく政治。

これはまさしく自発性に頼らない、能動性に頼らない、意志に頼らない、中動態的な政治のプロセスなんだよね。僕はそういうのがいいなと思っているわけです。

千葉　考えるようになる？

國分　そう。誰かが「考えよう！」と呼びかけたって、誰も考えないですよね。住民投票運動をやっていたときは、みんながこの問題を考えてくれたらいいなとは思ったけど、単に「考えてください！」と言ったって誰も考えない。そうじゃなく、千葉君はさっき僕の本が読者を巻き込むと言ったけど、それこそ運動が始まって、みんなが考える雰囲気が作られていくことがすごく大切だと思う。それが通常の選挙でも行われればいいなと思うんです。

　中動態の哲学というと、能動性を否定する、ダラダラ生きていくことを肯定するといった悪意ある解釈も可能なんだけど、そういうことではなくてね。

千葉　みんながものを考えることへの態勢が耕されていくみたいなことですか。イメージとしては発酵していくことに近い？

國分　それはすばらしい言い方ですね。そういうイメージです。

千葉　最初からこうするべきだという、完成品としての目的を提示するんじゃなくて、考えることへの勢いをつける。向かう先はみんな違っていていい。態勢であり、傾きである「ディスポジション」ですね。

國分　意見や世論はできあがったものとしては存在していないんだよね。意見も世論も作り上げていくものです。でもアレントの政治って、できあがった意見をもっている立派な大人が集まって成立するというイメージでしょう。

千葉　逆に言えば、アレントはそうじゃない人のことを排除している。

國分　明らかに排除しているね。

千葉　要するにまともな人だけ政治に参加すればいいんであって、そうじゃない人のことは、「ちょっと見たくもない」ぐらいに思っているような……。

國分　絶対思ってるよ。

千葉　國分さんと僕に共通するのは、何かもっと広く、みんなに考えるようになってもらいたいところを、諦めてないことですね。でも、ある種の人たちは、國分とか千葉は、啓蒙の夢を追い続けているバカな連中で、みたいに言う。

國分　そうなの？（笑）

千葉　多少はいますよ。でも、われわれはその点に関して信念をもってやっているじゃないですか。

ボーンと、これをこうするべきだとか、これを考えるべきだというのではなくて、考えることにどう姿勢を向けていってもらうか。それは「向かわせる」とは違います。向かわせてしまったら、能動・受動の関係になってしまいますから。そうではなくて、僕らが書いたものとの関わりの中で、何か考えるようになるというプロセスが自ずと発動する。

そういうものを書きたいというのが、共通しているところだろうと思うんです。そこが國分さんの本の独特の巻き込み力でもあり、まあ、啓蒙的なところですよね。

國分　啓蒙的と言うと、能動・受動な感じがするから、難しいところですけど。

千葉　言い方はね。まあ、わかりやすく言えばということで。

民主主義が成り立つ条件としては——民主主義というキーワードがいいかどうかの議論はありますが——市民的な思考力というか、いろいろな物事を広く、差別的でなく考えるような教養の涵養《かんよう》といったことがあるわけじゃないですか。ある種の市民教育というか、最近はシチズンシップの教育論と呼ぶのかな。シチズンシップに必要な、ものを考えるディスポジションを育てていくこと。國分さんの仕事には、実際的意味として、そういう大きなプロジェクト的な面がある気がするんですよね。

國分　そんなに言ってもらえると、ありがたすぎるんだけどね（笑）。

千葉　大袈裟だったかな（笑）。國分さんの仕事の公共的意義の解説でした。

國分　ありがとうございます。

哲学の役割

國分　それに言葉を継ぐと、ものを考えるディスポジションを育てていくときには、哲学がとても重要だと思うんです。何かの問題への解決策として、世の中でものすごく陳腐な結論が出てくることがあるでしょう？　哲学を勉強していると、その陳腐さに気づくことができる。というのも陳腐な結論は何かを隠蔽《いんぺい》している結論だから。

これは僕らみたいな研究と教育に関わっている人間の責任なんだけど、哲学というものが少なくとも日本ではそんなに身近に感じられていない。だから、僕はこの後、哲学教育を一生懸命にやりたいんです。教科書を作るとか、実はいろいろアイデアもある。哲学というものをもっと身近にしていきたい。

『中動態の世界』の本のあとがきで書いたんですが、哲学をやっていると「真理を探究しているんですか」とよく言われるんだよね（笑）。

千葉　まあ、言われますよね。

國分　「人生の真理、究めちゃってるんですか？」みたいに言われることもあるんですが、全然そうじゃない。哲学って真理を究めることじゃないんですね。何か問題があって、その問題に応えようとして悪戦苦闘する中で何か新しい概念を作る。あるいは既存の概念を利用する。哲学というのは問題の発見に始まるこのプロセスだと思うのね。これはドゥルーズも言っていることですね。哲学において大切なのは真理じゃなくて、問題とそれに応える概念だと。『中動態の世界』の場合だと、依存症とか民主主義とかいろんな問題との出会いがあって、それに応えようとして悪戦苦闘した結果、中動態という概念を僕なりに練り上げることになった。

哲学を勉強して、概念の使い方をさまざまな仕方で経験することは、シチズンシップを涵養していくのにとても役立つと思う。

千葉　うん、基礎力ですよ。ビジネスをするのにも役立つことです。問題を立てるのは、すごく基礎的なことですからね。というか、人ってなかなか問題を立てようとしない。問題を立ててしまうと気持ち悪いから、みんな問題を見ないようにしている。

國分　それ自体が問題ですね（笑）。

千葉　まず問題を立てることの気持ち悪さというか、ある種のマゾヒズムに引き込む必要がある。哲学教育はそこが難しいんじゃないですか。

國分　それはよくわかるな。中動態のプロジェクトは、遅く見積もっても、二〇一二年にはスタートしているんですよ。実際はもっと前からスタートしているんだけど、少なくとも五年ぐらいはモヤモヤとした、はっきりとしない状態が続いた。「これで議論になるのかなとか、「自分が考えているのはつまらないことではないか」とか、「そもそも中動態なんてところにヒントはないのでは」とか。

　しかも問題を考えながら日常生活も維持しなければならない。それはとても大変なことです。山に籠もって真理を追究しているんだったらむしろ楽。でも、山に籠もるわけにはいかないし。

千葉　そう。問題を立てることの気持ち悪さに、生活との両立が加わるから、なおさら大変なんです。

國分　そう。ただ、慣れもあるよね。自分なりのやり方を発見すればなんとかできるところもある。問題を立てると気持ち悪いというのは、確かにそうなんだけど、そことどう付き合うかを、一人一人が自分なりに学べたらいいと思うんです。

授業は中動態でないといけない

千葉　問題を立てることをポジティブに言えば、深みがあって、やりこみようがある、難しいおもちゃを抱え込むようなものですよね。いろいろいじってて、こんなこと始めなきゃよかったと思ったりしながら、でも、やってると面白くなってくる。ただ、一般には、何か問題の影がチラッと見えただけで、「ヤバい。もう近づくのやめよう」となるケースが多い。そこに近づけるようになるには、どうすればいいんですかね。

國分　僕はいつも言ってるんだけど、やって見せることが大切だと思うんだよね。この本も、「僕はこんなふうにやってみたんです」と読者の皆さんに向けてやって見せているわけです。だから、「ああ、國分はここでこういうことを調べるのか」とか「この気持ち悪い問題を、このくらいはがんばって保持して、ここで答えを出すんだな」とか、そういうところも伝わるとうれしい。

千葉　そこが大事ですよね。授業もそう。完成した、重要事項の一覧表みたいなことをしゃべっている授業ほどつまらないものはない。教師が問題と格闘して、時には予定と全然違う話を始めて、目の前で何かが起こっていることを生徒が目撃する授業でなければ面白くないんですよ。僕自身、ずっとそういう授業が面白かったし、参考になるわけです。ああ、こういうふうに悩むんだという、リアルな悩み方のモデルが得られることは、やっぱり大事ですよね。

　それがまさに、外的な結果を求めるのではない、中動態的な思考のプロセスそれ自体と付き合って、そのプロセス同士が共鳴し合うことなのかなと思います。

國分　授業もそういう意味では中動態ということだよね。つまり、教師が能動で、生徒が受動じゃダメで、そこに中動態的なプロセスがなければいけない。

千葉　そう。だから、最近流行りのアクティブラーニングとか言って、学生にアクティブに課題か何かやらせて、それに対して教師がアドバイザー的に関わるなんていうのは、能動・受動の二項対立の枠組みに囚われたまま反転しているだけだから、まったくダメ。アクティブラーニングより、これからはミドルボイスラーニングをやっていかなきゃいかんと思うわけですよ。

國分　哲学を勉強していれば、たとえ中動態を知らなくても、能動・受動の二項対立の枠組みの中で反転しているだけってのはすぐにわかる。

千葉　もう一つ、哲学の重要なところは、極めて抽象的だからこそ最も現場に近い話ができるという逆説なんですよ。よく抽象論だから役に立たない、ダメと言われるのは、僕に言わせたら、抽象性の度合いが低いからなんですよね。徹底的に抽象的なものは、徹底的に現場的になる。これは本当に一つの真理だと思っているんです。

國分　ミドルボイスは、まさしくそうですよ。抽象的な話だからこそ、いろんな場に生かせる。

千葉　國分さん、ドゥルーズの授業の話が好きじゃないですか。授業は中動態でないといけないというのは、そこともつながりますよね。ドゥルーズへのインタビューが収録されている『アベセデール』（『ジル・ドゥルーズの「アベセデール」』、KADOKAWA、二〇一五年）というDVDで、彼は授業についても語っています。発売からだいぶ経ちましたけど、われわれが字幕をつけましたのでぜひ見ていただきたい映像です。

國分　フランスの授業って、二時間半もあるんだよね。めちゃめちゃ長い。ドゥルーズは教師のくせに、「授業は長すぎる。人はあんなに長時間ずっと話を聞いていることはできない」と、話を始めるんですよね。だから、だいたいみんな寝るんだと（笑）。

だけど、ある話をすると、聴衆の一部が反応する。別の話をすると、また別の聴衆が反応する。どの話題にどの学生が反応するかを見ているのがとても楽しいんだというようなことをドゥルーズは言ってました。まったくその通りでしょう。

授業には、そういう機会が何回か、あるいは一回でもあればいいわけです。何らかの話題で学生が化学変化を起こし、ものを考えるプロセスに入っていく。そういう中動態的なプロセスが大事なんですね。千葉君が言ったように、教師のほうも教えながら学生から教えられて気づくことがあり、それをまた教えてという、プロセスなんだよね。

千葉　その過程で、授業は変わっていきますからね。

國分　僕は本を書くとき、その内容をワンセメスター通しで講義するんですよ。それを二、三回繰り返すと、内容がずいぶんと彫琢《ちょうたく》される。『暇と退屈の倫理学』は、たぶん四回ぐらい講義をしてから書いている。頭の中が整理されたし、学生の感想からもたくさんのことを教えてもらいました。これは『中動態の世界』のときも同じです。

本を書くときはそれと並行して学生にしゃべるというのが、僕にとっては理想です。千葉君は、書くということに関してはどうですか。

千葉　僕も授業でやりますよ。ただ、僕の授業は学生のそのときどきのニーズに合わせてやることが多いので、全面的に展開はしないですね。でも、チョイ出しはします。フィードバックをもらえるのは、やっぱりありがたいから。

國分　すごい勉強になるよね。こう見てくると、中動態にはだいぶ応用力がありますね。

文法軽視の語学教育

客席からの質問　高校の教員ですが、いま、英語では、文法がものすごく軽視されています。

コミュニカティブというか、与えられたものをそのまま反復していけば、語学の習得はできるよ、というような方針なんです。自分はそこに、文法を見えなくしてしまっている怖さを感じているんですが、それと、今回話されている、尋問する言語がはびこっていくこととは、関係があると思われますか。

千葉　いま、そんなに文法をやらなくなっているんですか？　それは問題ですね。僕はよく英語の勉強の仕方を聞かれるんですけど、とにかく薄い文法書を徹底的にやれと言ってるんですよ。フランス語にせよ、英語にせよ、さっきも言ったように、近代語は古典語に比べたらはるかに簡単なものだから、だいたいレッスン20ぐらいで、基本文法って終わるんです。……塾の先生みたいな話ですが（笑）。

高校生向けの英語の文法の参考書って、三センチぐらいあったりして、大概そこそこ厚いじゃないですか。でもあんなに必要ないんですよね。基本的なことは、たぶん一センチぐらいで済む。大学の第二外国語でやるフランス語の教科書って、すごく薄いんですよ。それでいいんです。それぐらいの文法事項をまずマスターすることが基本で、あとはプラスアルファでいいんだと教えてあげると、けっこう、目から鱗《うろこ》みたいな反応をされるんですよね。

だから、僕だったら、そういう教え方をぜひやりたいところなんですけど、いまは、ただパターンを覚えさせるみたいになっているということなんですか。

客席　はい、そうですね。文法が見えなくなっているために、生徒たちの思考が「する」か「される」かという二項対立で、簡単に決定づけられてしまう。文法を勉強する機会があれば、その構造について考えたり疑問を持ったりできるんだけれど、いまの英語教育は、そういうことを一切考えさせないようにしている。お二人のここまでのお話を聞いていて、そんなふうに思ったんですが。

國分　ちょっと無理やり僕の話に結びつけると、この本のために勉強してわかったことの一つは、文法というものを意識することの難しさでした。たとえばいま、僕らは日本語を使っているけれども、日本語の文法をどれだけ意識できるかというと、まあ、意識できない。それに意識する必要もない。

英語、あるいは外国語の文法を勉強することは、母語では意識しなくてよい規則の体系に意識的になるということなんですね。だから英文法を勉強することは、自分たちが使っている言語に対しても、意識を鋭くしていくことでもあるんですよね。

そして、千葉君が言ったように、ほんのわずかな文法事項で、外国語の基礎は習得できてしまう。けれどもそれを習得したからといって、その言語を使えるようにはなかなかならない。逆に、僕らが自由に使っている日本語の規則を説明しようとすると、それはいつまでたっても終わらない。

言語の習得にはこういうパラドックスがあると思うんです。英文法の勉強を通じて、このパラドックスをなんとなく体感していくことが、すごく大事だと思うんです。それがいま、軽視されているわけですね。

人間は言葉を使わなくなっている

國分　話を大袈裟なほうにもっていきますけど、これは現代世界において言葉に与えられている地位の問題と関係があるのではないか。これはアガンベンという哲学者が『身体の使用』（みすず書房、二〇一六年）という本の中で指摘していることなんですが、われわれはもはや言葉によって規定される存在でなくなりつつあるのではないかというのです。

実はこのアガンベンの言葉は、僕の本を否定しているみたいな感じがするんだけど（笑）、非常に重要な指摘だと思っています。

千葉　國分さんは、そういういまの状況に抗ってるわけですよね。

國分　そうですね。最初に言ったように、僕らが勉強してきた二〇世紀の哲学は言葉を重視する哲学だった。それこそハイデガーは存在そのものを言葉において捉えようとした。ただ、そうした言葉を重視する哲学の根底には、人間は言葉によって規定されている存在であるという前提があったと思うんですね。ある意味では言葉は僕らにとって牢獄ですらあって、だからこそ、どうやったら言葉の外に出られるかという発想もあり得た。

ところが、ふと気がついてみると、人間は言葉によって規定される存在ではなくなってしまっている。言葉がわれわれを規定しなくなっている。それはいろんなところから言えると思います。

たとえば、これはつまらない例かもしれませんが、ＬＩＮＥのスタンプとか絵文字にはいろいろと考えるべき問題があります。あれが何を意味しているかというと、言葉を使わないコミュニケーションでも十分だということです。ある種の情動の伝達だけをやっている。そして日常的なコミュニケーションはそれで十分だったことがわかった。

メールを書くときも、みんな自分で言葉を紡いで文章を書いていると思っているけど、実際には予測変換されたことをピッピッピッと選んでいるだけですよね。しかも、それで十分に文章になるし、事足りる。

僕らはどんどん言葉を使わなくなってきている。だから言葉が人間を規定しているということの意味も想像できなくなっているかもしれない。

僕らの業界だと、「言葉の物質性」ということがよく語られました。言葉というものそれ自体がある種の物質であって、何かを読むとはそのゴツゴツとした岩のような物質に触ることだというわけです。これはたとえば、ハイデガーが熱心に論じたヘルダーリンの詩とか、突き詰められた究極的な言葉を念頭において言われていたことだと思います。

でも現代では物質としての言葉という共通了解はほとんどなくなっているのではないか。

千葉　言葉がただの道具になってしまっているんですね。使えさえすればいいから、言葉それ自体は完全に透明な手段になっていて、そこに引っかかることがない。だから、絵文字に置き換えてもかまわないし、記号に置き換えてもかまわない。言葉が言葉であるという理由がない。要するにコミュニケーションが全面化している。これはすごく逆説的な言い方だけど、言語というのはコミュニケーションのためだけにあるものじゃなかったんですよね。

言葉はそれ自体としていじくり回されるものでもあって、たとえば、それは詩になったりするわけですよ。詩というのは自己目的的で、コミュニケーションのためにあるものじゃない。でも、もはや、自己目的的に詩を書くなんてことはほとんど不可能に近くなって、ごく一部の好事家しかやらなくなってる。すべてがコミュニケーションに支配されて、すべての手段が交換可能、変換可能になっている。

國分　英語教育でもね、コミュニケーション、コミュニケーションと言って、「ハーイ、マサヤ。ハウアーユー？」なんて、一分ぐらいで覚えられることを一生懸命教えるみたいになってるじゃない。

千葉　それで英語がしゃべれるとか言うんだよね。

國分　こういう現状について「強いて勉める」の視点からいくらでも言うことはありますけど、とにかく、コミュニケーションというものに社会が支配されて、言葉が消滅しつつあることは一つの大きな傾向として押さえておく必要があると思います。これは哲学的に小難しい視点からも言えるし、いま言ったようなＬＩＮＥレベルでも言えることでしょう。

千葉　ツイッターよりもインスタグラムが優勢になってきてるのも、そうですよね。

道具としての言葉、物質としての言葉

國分　千葉君に一度聞いてみたかったんだけど、僕は自分が詩を読めない人間だという、ある種のコンプレックスみたいなものがずっとあるの。僕だけじゃなくて、自分の世代でもかなり共有されているんじゃないかと思っているんだけど。

言葉が死んでしまって、廃墟になって、そこから貧しいかけらだけを拾い集めてくる。それはかけらで、もう豊かな言葉はないから、とにかく順序を整えることだけはがんばって、できるかぎり整然と書く。これが本を書くときの僕のイメージなんだよね。自分の言葉はものすごく貧相であるという気持ちがある。

それこそ七〇年代は、「私の詩集買ってください」みたいなカルチャーがあって、みんな詩に触れてたんじゃない？

千葉　六〇年代あたりは、詩人のもっていた文化的地位が高くて、「アマタイ」と言ったら、アイドルみたいなパワーがありましたよね。

國分　天沢退二郎のことね。だけど天沢退二郎もいまどれだけ知られているのだろうか。この前、高橋源一郎さんと対談して「僕は詩が読めないんです」と言ったら、確かに自分たちの詩の経験は國分さんたちの世代のそれとは全然違うかもしれないと言っていました。彼ぐらいの世代だと、詩集が出るとみんな飛びついたんだね。

ただ、高橋さんのお話で参考になったのは、当時は詩の批評があったということです。みんな詩は読んでいたけど、批評がないとやっぱりよくわからなかった。詩人が批評家も兼ねていて、詩人同士が批評し合っていて、それらをまとめて読んでいた、と。当時も詩だけを読んでいたのではないと聞いてちょっとホッとしたところがあった。

千葉君は詩について発言することがわりと多いよね。

千葉　自分でも書きますしね。

國分　詩の読書体験というか、詩体験ってどういう感じなの？

千葉　言語は物質ですからね。だから、詩を読める、読めないという言い方はあてはまらなくて、詩は意味を理解するものじゃない。オブジェクトなんです。

僕の表現活動は、もともと美術制作から出発しているので、基本的に言葉とは物体だと思っているんですよ。それはごく素直にそう思っている。だから僕は、逆に、言葉を意味を伝えるために最大限効率的に使うというのが苦手なんです。僕には常に、文字の物質的な配置とか、パッとページを見たときに漢字がどのぐらい黒く見えるかとか、そういう次元のことが最初に来るんです。

その次元と意味との折り合いをつけながらものを書いているから、道具として言葉を使うことに振り切れない。言葉というものを常に、何かごわごわしたものとしていじくっている。そこが僕の弱みでもあって、話すときはそうじゃないんだけど、書くときにどうしても筆が遅いのは、言語の物質性に足を取られるからです。

國分　東浩紀さんがツイッターで、最近はワープロで書くから文章をブロックで把握していると言っていたんだけど、僕も完全にそうなんだ。ブロックというか段落で把握している。一文一文読むというより、ブロックとして見て、何かブロックの調子が悪いと、内容を精査する。

千葉　へえ、面白い。

國分　あるブロックの次のブロックがこの大きさだと、建築の構造上間違っているみたいな判断なんだよね。千葉君がまず言葉の物質的な配置に目が行くと言ったのは、ちょっとその感覚に近いかなと思った。

『中動態の世界』は少しでも読みやすくするために、改行を多くしてブロックをほどきました。

でも、画面を見てて、このページは黒が多いとか、その感覚はよくわかります。なんか黒すぎるとかね。でも、たぶん僕は、一回はそう判断するけれど、その後はどう伝えるかという圧力が強くなって、その観点から文章を直していくかな。

いま聞いてて思ったんだけど、あんまり小説の話はしないよね。

千葉　小説、苦手なんです。というか、人間と人間のあいだにトラブルが起きることによって、行為が連鎖していくというのがアホらしくてしょうがない。だって、人と人のあいだにトラブルが起きるって、バカだってことでしょ。バカだからトラブルが起きるのであって、もしすべての人の魂のステージが上がれば、トラブルは起きないんだから、物語なんて必要ないわけです。つまり、魂のステージが低いという前提で書いているから、すべての小説は愚かなんですよ。だから、僕は小説を読む必要がないと思ってるの。

國分　ここでいきなりものすごいラディカルなテーゼが出たね（笑）。

千葉　でも、詩には人間がいないから。物質だけだから。それはすばらしい。

國分　なるほど。そういうことなんですね。ところで僕の本は、いつも推理小説みたいだと言われるのよ。『ドゥルーズの哲学原理』（岩波書店、二〇一三年）のときは、特にそれを言われた。千葉君が言ってるのは、いわゆる近代小説のことだよね。

千葉　そう。近代小説じゃなくて、もっと実験的な小説とか、もっと古いやつだったら、僕も面白いと思う。

國分　僕の書くものは形式的には確かに推理小説に近いかもしれないし、そう言われるのはうれしい。作家の大西巨人はどんな小説にも推理小説的な要素があると言ってた。なぜかというと、小説とはすべて人生の謎を解こうとしているから、その点においていかなる小説も推理小説的になるんだと。本人の口から直接聞いたことだから、文章としては書いてないかもしれないけど。

そうすると、哲学の本も謎解きだから、そうなる面があると思うんですよね。千葉君はまた僕とは違うやり方を考えているということでしょう？

千葉　國分さんの書きものは、推理小説的展開だから、前から読んでいくことが前提で、時間的なんですよね。僕の本は、ランダムアクセスができるという方向で考えているんです。だから空間的です。僕と國分さんの本の違いはそこだなと思います。國分さんは、いかにページをめくらせるかに命をかけてる（笑）。

國分　もう絶対最後まで読ませる。絶対帰さない、みたいな。

千葉　すごいですよね、そのパワーが。

國分　でも『ドゥルーズの哲学原理』のときは、あまりにも一直線で猛スピードだから、自分で読んでも疲れてしまった（笑）。さすがにこれはまずいと思って、各章の最後に、見開きの研究ノートを休憩のために入れました。そうじゃないと、ずっとジョギングマシンの上で走らされるような読書になってしまうと思って。哲学の本であそこまで一直線の本はあまりないかもしれない。

千葉　たいてい何かしらジグザグしたり、問いを中断したりするものですよね。

國分　そうなんだけどね。でもね、哲学の本に、遠回りしながら延々と論述を続けていって、最後でグッと最初の問いに戻ってくるという展開の本がないことが昔からすごく不満だったわけ。途中でごちゃごちゃはするけど、最後は「最初に出した問いに戻ってきました」という快感を味わいたい。でも、そこを満たしてくれる本が少ない。だから、自分でそれを書いてるつもりなんです。

表現をめぐる折り合い

客席からの質問　さきほど、執筆のことで頭がいっぱいでも、飯も食っていかなきゃいけない、山に籠もれたらいいのに、というお話がありました。それとは少しニュアンスが違うかもしれないんですが、よほど境遇に恵まれた場合を除いて、現代社会では表現活動だけで生きていくことはできないですよね？　むしろ大半の人は、表現活動をするのを諦めて、生活していかなくちゃいけない。

それと、自分が表現したものが、自分の意志とは違う形に転換されて、伝わっていくのが怖かったりはしないんですか。

國分 まず、食っていくことに関しては、千葉君も僕もサラリーマンですからね。サラリーマンしないと、とても、著述だけでは食っていけないです。

千葉 それだけでやってる人もいますけどね、大変ですよ。

國分 いまは小説家も大学の先生をする時代ですから。よく言われることですが、コミュニケーションの手段が非常に発達したことで、プロとアマの境界がなくなってしまった。音楽だって、誰でも簡単に世界中に自分の作った曲を届けられますからね。

千葉 そうですね。

國分 あと、他者と表現の関係について言うと、僕はどっちかというと、聞いてもらいたい、わかってもらいたい、という動機で書いていますね。千葉君はそれとは違うんじゃないかな、どう？

千葉 いや、その気持ちは僕にもありますよ、もちろん。

國分 千葉君にそれがないと言ってるわけじゃないんだけど、僕の場合、とにかくそれが最初に来るし、アルファであるし、オメガであるわけよ。

千葉 國分さんはすごくそこがあるわけですね。僕より強くあると。

國分　うん。誤解されたくないというか、絶対に誤解がないように書きたいというか（笑）。そんなこと無理なんだけど。

千葉　読者は誤解しますけどね。

國分　そうなんだよね。僕は中動態とか言ってるくせに、どうしても頭の中に強く能動・受動の考えがあって、「わからせたい」みたいな気持ちもある。

千葉　なるほどねえ。そこにちょっと矛盾がある。

國分　そう。矛盾だし、だからこそ中動態にあこがれるのかもしれない。千葉君の中では本を出すことは、どちらかというと、自分の作ったオブジェをそのまま出すみたいな感じでしょう？

千葉　そうそう。僕はすごく自己享楽的に書いているから。

國分　それとコミュニケーションの水準って、どうやって折り合いをつけているの？　それは表現する人がみんな悩むところだと思うね。

千葉　悩むところですよね。僕の書きものは、けっこう独特のバランスがあるんじゃないかと思うんです。自己目的的に、全然人にわからないことを書く人もいますけど、僕はある種のポピュラリティがある書き方をしているとは思う。

突然、妙に自閉的で、わかりにくいことを書いたり、ものすごい平たいことを書いたりという奇妙なぎくしゃくが、たぶん僕の文章にはあって、そこはいい意味でも悪い意味でも、僕の特徴じゃないかな。だから、無理して完全に平たくしなきゃいけないとは思わないですね。自分の体質だからしょうがないと思っているところもある。

國分　表現というものに関わる人は、とても悩むところですよね。

千葉　どう届けるかということはみんな考えるし、あと、さっきのパレーシアの問題じゃないけど、こういう強いことを言ったら反発されるんじゃないかということも、最近ではいろいろ気にしなきゃいけなくなってきていますしね。

國分　うん。たとえば『中動態の世界』でも、とある実験をちょっと揶揄《やゆ》したりとか、いろいろ好き勝手なことを言っているんですが、同時に、すごくビビりながら書いてもいるんですよね。自分は哲学が専門だから、言語学に手を出すのはやっぱり怖い。そこは文句を言われないように警戒して、ある意味では禁欲的に徹底的に調べて、調整しながら書きました。

千葉　それは註を読めばわかりますよ。國分さんの今回の本のもう一つの読み方、裏技は、本文を一通り読み終わったら、今度は註だけをザッと読むんです。そうすると、國分さんがどういうふうに文献を取り扱っているのかがわかる。多少専門的な知識がないと難しいかもしれないけれど、註だけ読んでみると、國分さんが各方面の学会的な基準にどれだけ気を遣って書いているかがわかります。

國分　そうですか。

千葉　僕、この文献の何の版に当たっているかとか、版の選択の基準の説明とか、最後に註だけ読んでバーッとチェックしましたよ、意地悪い目で（笑）。

國分　『暇と退屈の倫理学』のときもそうだったんだけど、本文はともかくザッと読めるように書く、註には専門的なことも書く、という使い分けを意識しているんです。

千葉　なるほど。その分担があるんですね。

國分　本文はできるかぎり門戸を開いて、その分、註では原文を長めに引用したりとか、そういう配慮はしています。

勉強することの中動態的喜び

客席からの質問　ここ数カ月ぐらい、プロジェクトという言葉について考えていました。最近、何をするにもプロジェクトが多すぎる気がして。「プロ」というのは前に向かうことですが、そうではない状態で何かをすることはできないのかと考えていたときに、今回の「中動態」という言葉を知って、なるほど、これはもしかしたら一つの方向なのかもしれないなと思ったんです。つまり、プロジェクトではない活動を、別でもっているほうが、人間の精神状態や身体として健全なのかなと。今日のお話との関連で、プロジェクトについてはどう思われますか。

國分　とても面白い質問ですね。プロジェクトと言えば、何と言ってもハイデガーですね。ハイデガーは「投企」という言葉を使って、人間をプロジェクトする存在として捉えました。人は決断して未来に向かって自分を投げ込むことによって生きているし、生きるべきであるというわけです。僕は『暇と退屈の倫理学』でそれを批判しました。今日の意志の話と直結しますが、決断はゼロを求めることになるからです。

ただ、ハイデガーという人自身がとても揺れていて、その後、それじゃダメだとすぐに反省してしまうんです。変わり身が早い。パッと反省して、能動でも受動でもないゲラッセンハイト、「放下」が大切だと言い始めるんですね。ゲラッセンハイトのことは『中動態の世界』でも少し論じましたが、簡単に言えば、流れに身を任せるような状態のことですね。

こう考えるとハイデガーはプロジェクトという考え方に結局は批判的だったということかもしれません。千葉君はプロジェクトについてはどうですか。

千葉　われわれ、いろんな仕事や生活の中で、プロジェクトはプロジェクトでたぶんやらなきゃいけないんですよね。そうじゃない面で、何か自分の中で進んでいくみたいなもの、意識の持ち方というか、前意識の持ち方みたいなものがあるといいのかなということでしょうか。

普段から勉強を続けるというのは、そういうことの一つだと思います。プロジェクトというよりも、自分の生活のリズムとつながるものとして、常に未完了のものとして動いていく。勉強とか、書物との関わりというのはそういうものです。もちろん、プロジェクトのために本を読んでいくこともありますけど。

國分　僕も中動態プロジェクトのためにアテネ・フランセに通ったんだけど、途中は大変でも、だんだん勉強自体が快楽になっていくわけですね。「あっ、この例文読めるじゃん」とか、「ああ、これもうわかった」とかね。

　勉強って本当に「強いて勉める」ですね。よく「勉強って楽しい！」みたいなスローガンがあるけど、ウソだと思うんだ。勉強は大変だし、キツい。絶対つらい。

けれども、そのつらい作業を少し続けると、ある時、わかったという喜びが確実にある。楽しいと呼べるのはそこだと思う。勉強の成果が出て何かが理解できた時。その喜びは何ものにも代えがたいし、その喜びを知るとやめられなくなる。

千葉　中毒性ですよね。勉強は依存症的なものであるから（笑）、やっぱり中動態なんですよ。

國分　確かに人間はプロジェクトする存在だけれども、その中には中動態的な喜びがあり、そして勉強はその中でも格別の喜びを与えてくれる中動態的な営みであるということかもしれません。

第二章

何のために勉強するのか

——『勉強の哲学』から考える

対談日　二〇一七年五月一九日
（「文學界」二〇一七年八月号掲載）

メタ自己啓発としての『勉強の哲学』

千葉　二〇一七年四月に、『勉強の哲学――来たるべきバカのために』（文藝春秋、二〇一七年／増補版、文春文庫、二〇二〇年）がようやく形になりました。今日はその刊行記念イベントです。実際に手にとって読んでもらうとわかるんですが、この本は自己啓発本のような体裁で書かれています。それはもちろん企みがあってのことで、実はこの本は、自己啓発本のパロディをやっているんです。

自己啓発本というのは、自分自身の生産性を高めて、この自己責任の世の中を生き残っていけと煽《あお》るわけですね。この本では、そういう自己啓発のフォーマットをハッキングするような遊びをやっている。なぜそんなことをするのかというと、これは哲学というより、批評的な仕事の目の付け方なんですが、みんなが見くびっているものをどれだけ面白く読解するかが、批評の大事な仕事だと思っているからです。

文化的な人は、たいてい自己啓発をバカにします。「人生は三〇代から始まる」と誰かが言ったと思ったら、別の人が「人生は五〇代から始まる」と言ったりして、人生始まりっぱなしじゃないか（笑）。そういうバカみたいな本が次々と出ているから、批評に関心を持つような知的な人は、誰もまともに取り合おうとしません。

でも、なぜ自己啓発本はかくも同じようなことを何度も書くのか、なぜ自己啓発本は多くの人を惹きつけるのか、といったことは、それとしてまじめに問題化しうるわけですよ。

そこでこの本では、自己啓発というバカにされているジャンルに距離を取りながらも、その魅力にあえて感染してみるというメタ自己啓発的な書き方をしています。

國分　以前から、千葉君と自己啓発本の話をずっとしていましたね。僕は千葉君よりもずっとその手のものをバカにする側にいたと思うんだけど、他方で、自分が書いた『暇と退屈の倫理学』は、「自己啓発本のところに置いてください」と本屋さんに言っていたんです。実際、そういうつもりで書いているしね。自分を啓発すること自体は、なんてすばらしいことだろうと思うんです。しかし、そこらの自己啓発本はまだ十分に自己啓発的でない。だからもっともっと自己啓発的でなければならないんです。

千葉　そう、いわゆる自己啓発本は、中途半端だから駄目なんです。

國分　自己啓発を非常にピュアな形態で考えていくと、今日のテーマでもある「勉強」というキーワードが浮かび上がってきますね。実際、僕らはよく二人で「いまの時代、勉強が大切だ」と言ってきた。

僕は一応、研究者と呼ばれる仕事に就いているんですけれども、この「研究」という言葉、「研いで究める」って言葉はおこがましいんじゃないかと思ってます。それに比べて、勉強という言葉のなんてすばらしいことか。「強いて勉める」ですからね。だから僕は千葉君が勉強という語を前面に押し出したことに非常に感銘を受けているんです。それをまず言っておきたい。

千葉　ありがとうございます。

國分　せっかくの機会なので、僕なりの勉強のイメージも加えながら議論していきたいと思うんですが、『勉強の哲学』は「独学の哲学」と言い換えてもいい内容ですよね。

千葉　そうです。最初それをタイトルにする案もあったぐらいで。

國分　独学は非常に大切だと思うんです。でも、はたして独学だけでどこまで学べるのかを最初に話しましょう。

教わることそのものの重要さ

國分　僕は最近出した『中動態の世界』を書くに当たって、まさにいろいろ勉強しました。中でも避けられなかったのが古典ギリシア語の勉強でした。毎週土曜日の午前中に、アテネ・フランセに通った。つまり久々に学生になったんです。

　そこであらためて思ったんですが、僕らはふだん大学で先生をしていますよね。でも僕は先生をやることに疲れてしまったところがあったんです。

千葉　どうしてですか？

國分　先生って、いつも先生として振る舞わなきゃいけないじゃないですか。立派に見せなきゃいけないし。学生に「どうだわかったか！」って鞭打つように教えることにちょっと疲れてしまって。

千葉　そんなふうに教えているんですか!?（笑）

國分　まあ、それは言いすぎだけど（笑）、教わることってマゾヒスティックな感覚があるでしょう？　先生からある一つの知識体系が波のように押し寄せてくるわけだから。僕はあの感覚が欲しくなってしまった。

千葉　自分が古典ギリシア語で「アルファ、ベータ」と鞭打たれたいと。

國分　そう（笑）。そして実際に通ってみると、非常に心地よく勉強できた。そのとき考えたんですね。世の中、何か勉強したいとか新しいことを始めたいけど、なかなかできないという話をよく聞くじゃない？

千葉　ある程度、社会人として仕事をしている人たちがよく言いますよね。

國分　そう。三〇代後半ぐらいの人が多いよね。でも、始めてもなかなか続かない。どうすれば勉強を続けることができるのか、僕もいろいろ考えたんですが、すごく簡単な二つのことを思いつきました。一つはお金を払うことですね。ダイエットと一緒で、お金を払えばできなかったこともできる。

で、もう一つのほうが大切なんですけれども、それが教わることなんですね。僕は久しぶりに教わりにいって、教わることとそのものの重要さを痛感した。というのも、教わることって、単に知識を頭に入れることと違うんですね。

たとえばＡＢＣＤＥという五つの要素を教わるとして、大切なのは先生からその把握の仕方を教わることなんですね。ある先生は、Ａをとにかくみっちりやればあとはだいたいわかる、と思っている。ＢとＤの部分が重要だから、この二つを重点的にやれば、ほかはそんなに勉強しなくても見えてくるよ、と考える先生もいる。つまり教わるという経験は、情報を受け取ると同時にその先生の把握の仕方という思想を学ぶ経験だと思うんです。

一方、『勉強の哲学』では独学に焦点が置かれているから、教師の役割についてはそんなに多くのことは書かれていない。「教師は、まずは『このくらいでいい』という勉強の有限化をしてくれる存在である」と、学ぶべき情報を限定してくれる装置だと書いてありますね（単行本一八二頁）。それももちろんあると思うけれど、千葉君も教えている人なわけだから、勉強における教師の役割をどう考えているかを、もう少し聞きたいと思った。

Evernoteという「半他者」

千葉　なるほど。確かに教師の役割は大切です。この本でも全然過小評価していなくて、できることなら教師につくことは推奨しているつもりではある。だけど「教師につかないと駄目」と言うと、あまりに学びの門戸を狭めることになってしまうから、独学でギリギリどこまでできるかを考えたかった。つまり教師についているような状況を独学でどれだけシミュレートできるか、ということですね。

それは、この本が精神分析に依拠していることと関係しています。つまり、分析家なしで分析はどこまでできるかという話と一緒なんですよ。本の中で提案している、自分の「欲望年表」を作るというワークも、本当なら精神分析でやることを一人でやったらどうなるかというシミュレーションです。おそらく精神分析家は、そんなことはできないと否定するでしょう。國分さんの指摘も、それに近い。学びのリアリティを考えれば、教師としっかり付き合うことは絶対に必要だという話は、精神分析では、分析家＝他者がいて、そこで初めて語られることが自分の無意識を動かす、という話とパラレルです。

國分さんが言うように、教師は思想を教えてくれるというのは実質的にそうだと思う。でも、この本では、より形式的な、あるいは抽象的な他者が立ちはだかっている状況を考えてみたかったので、他者性をシミュレートする技術をいろいろ書いているんです。たとえば、入門書を活用するとか、Evernoteにプロセスを預けることによって勉強を続けるとか。僕の考えでは、入門書もEvernoteも「半他者」なんですよ。それらと付き合うことによって、まったく他者性なき勉強よりはましになる。ただ、本当にそれだけで学びが深まるかと言われたら、確かに疑問に思う部分もあります。

國分 他者をシミュレートするという話は面白いですね。技術を使った「半他者」としての「教師」でどこまでいけるかという実験ですよね。この点にさらにコメントを付け加えていくと、ここで、千葉君が想定している勉強の主体像が浮かび上がってきているように思います。というのも僕に言わせると、そうやって他者をシミュレートする勉強は極めて高度なことなんです。この高度な方法を、人はずっと使い続けられるんだろうか。

千葉 それは、先生がいたほうが早い。

國分 早いよね。だから、この本を読んでいるとき、僕は何かすごく「リッチな主体」が透けて見えたわけ。これはすごく読みやすく書かれている本であると同時に、それが向けられた先は既にリッチである主体ではないか、と。

僕自身は、自分がどこかプアな主体だという意識があって「俺にこれ、できるかな？」という気持ちを持ちました。自分は先生に教わるということを選択するだろうな、と。

千葉 でも、教師という強い他者から大きな影響を受けるとしても、完全にその人に従ってしまったら、自分は従属的になってしまうわけじゃないですか。だから、僕はたとえ教師についていても、独学する精神は必要だと考えています。やっぱり教師と自分は別ですから。欲望年表で自分の享楽を見つめ直すワークも、教師に飲み込まれきらない自分の居場所をどう確保するかという問題に関わってくると思うんですよね。

國分　なるほど。実際僕らはそうやって独学してきたしね。どんなに先生に教わっても、独学が基本だというのは間違いない。

「キモい」と判断するのは誰か

國分　勉強の主体という問題に絡んで、もう一つ議論したいと思ったのが「キモい」というキーワードです。千葉君は、深く勉強することは、キモくなることだと言っていますね。僕はこの「キモい」に引っかかっている。どういうことかというと、キモいと判断するのは誰なのか、という問題です。人はキモい時、自分で自分のことをキモいと判断することができるのだろうか？

　たとえば、僕自身は大学生のとき、超キモかったですよ。

千葉　いつ頃がいちばんキモかったですか？

國分　大学二年生ぐらいかな。現代思想とかを勉強して、すごく偉くなった気でいたわけ。「世界は間違っている。俺が正しい」と本気で思ってた（笑）。それがたぶん大学四年生ぐらいまで続いた。「寄らば斬る！」みたいな人間で、議論して相手を泣かせたりとか、入学式に変な宗教団体が来ると、「みんなで論破しに行こうぜ」って乗り込んだりとかしていた。いま振り返ると、ひどくキモいわけです。ところが当時の僕は当然ながら自分のことをキモいなんて思ってない。

千葉　キモい自分に没入してますからね。

國分　キモくなるってそういうことなんですよ。実際にそれが起こっている時点では、自分ではわからない。逆に、「俺はいまキモいな」と思う程度じゃ、大してキモくない。

　だとすると、「キモい」は、一体誰がどうやって判断しているのか。最初にこの本を読んだときに、いちばん気になったのはそこです。かつての自分を思い出しながらね。

千葉　この本はカジュアルな読者層を想定しているので、まず、自分のキモさがわからないぐらいに没入している人は、少なくとも第一の読者として想定してないですね。

國分　そもそもそういう人は、この本は必要ないかもしれないしね。

千葉　そういう人は独自の道を行ってください、という感じがするんですよね。僕が想定しているのは、同調圧力に飲み込まれてしまっている大学生ぐらいのイメージです。サークルなどの飲み会で、みんなでウェイウェイ騒ぐようなことが日常的に起こっている中で、ノリに合わせながらも、どこかで違和感を感じているぐらいの人を、デフォルトの読者として想定している。そういう人は、「キモい」を自己反省的に自分に対し差し向けることができるだろうと。

もう一つ言うと、かつての國分さんのように完全に没入してしまっているキモい人でも、この本を読めばキモさの構造がわかるようになっている。具体的には、この本では、キモさをアイロニーとユーモアから説明しています。話のちゃぶ台をひっくり返すようなことを言うのがアイロニーで、話を転々とさせていくのがユーモア。その二つが、周りのノリからズレてキモくなることだと説明しているわけです。ということは、完全にキモい人が読んだら「あ、自分はこれをやってる」と気づくんじゃないか。

國分　気づきました（笑）。自分のかつてのキモさは、アイロニーの徹底だったんだなって。

同調圧力が強い中で生活している学生を想定しているという話はなるほどと思った。学生に接していると思うけど、本当にビクビクしている学生は多くて、人と違うことをなかなか言えないんだよね。

千葉　本当に遠慮しますよね。ゼミみたいな空間でも、他の人に異論を言うとかできない。たぶん、異論を言ったら人を傷つけるんじゃないかと思っちゃうんですよ。そういうことは場を乱すからよくないと感じてしまう。

國分　そんなときに、「深く勉強したらキモくなるんだよ」と言ってもらえれば、なんらかの導きになるかもしれない、と、そういうわけですね。

千葉　そう、意識的に共同体の規範から離れていいんです。しかも、それは操作可能だということ。確かに、ズレっぱなしになる時期はどうしてもある。だけど、そのことに対してメタな意識を持てれば、ある程度は、場に合わせる社交もできるようになる。だから、恐れずにまずはズレてみようよ、と言いたかったんです。

國分　そうすると、キモさを誰が観測するのかを、事実確認《コンスタティブ》的に記述できるかどうかはわからないけれど、千葉君としてはむしろ「キモくなるんですよ」という命題が持つパフォーマティブな効果のほうを狙っているということだね。といっても、すべてがパフォーマティブなわけでもなく、パフォーマティブなものとコンスタティブなものが使い分けられている、と。

千葉　そうです。厳密な意味でそれが成立するかどうかはわからないけれど、効果を持つ言葉を意図的に使っている部分はある。そういうところと、きっちり構築的に書いている部分とが組み合わさっていますね。

　たとえば「キモい」は効果を狙っている強い言葉ですが、こんな品のない言葉を使っていいのだろうかと思う部分もあったので、「浮く」と互換的に使って、強いニュアンスを薄めたりしているんです。

國分　「キモい」は大丈夫だったんじゃないですか。そんなに批判は出てこないでしょう?

千葉　ちょっと困ったことに、ツイッターの感想を見ると、「この本を読んで自分がキモいことが肯定された」と喜んでいるのが大半でした(笑)。この本では、その先の第三段階が大事だと言っているのに。

勉強は孤独と切り離せない

千葉　まわりのノリに合わせている第一段階から、勉強してキモくなる第二段階へ移行する。でもそこで終わりではなくて、いったんキモくなった後に、そこそこノリにも合わせられるようになる第三段階に抜けていくことが大事なんですね。ある場面ではズレる発言を操作的にできるけど、場合によってはズレないで黙っておくこともできる操作可能性を手に入れる段階、それが本の副題にある「来たるべきバカ」なわけです。

國分　「俺、キモいけど、それは勉強しているからなんだ。よかった。千葉さんはわかってるな」という感想が来てしまうわけか。そこに安住していいと思うのは勘違いだよね。

千葉　そこで自己申告されているキモさが、本当に勉強していることを表しているのかどうかはわかりませんよね。単にズレている人っていますから。

國分　それは十分考えられる。

千葉　でも僕は、世の中からズレているって、基本的に大事なことだと思うんです。たとえば、この本はコミュニケーション論として読めるという感想がありました。環境に合わせるというのは、定型発達的なコミュニケーションで、それに対して僕がアイロニーやユーモアの説明で出しているいくつかの逸脱の例は、どちらかというと発達障害的なケースに当たるという読み。そして、そういう逸脱的なケースにこそ思考の可能性が宿るのだとしたら、コミュニケーションがノーマルじゃない状態を肯定することになるんだと。これはすごくいい意見をもらったなと思ったんです。

國分　ズレるということに関して違う観点から話すと、僕はいま「孤独」がすごく必要だと考えています。ハンナ・アレントが、孤独《ソリチュード》と寂しさ《ロンリネス》の違いについて書いているんですね。

孤独とは何かというと、私が私自身と一緒にいられることだ、と。孤独の中で、私は私自身と対話するのだとアレントはいう。それに対して寂しさは、私自身と一緒にいることに耐えられないために、他の人を探しに行ってしまう状態として定義されます。「誰か私と一緒にいてください」という状態が寂しさなんですね。だから、人は孤独になったからといって必ずしも寂しくなるわけじゃない。

千葉　それはいい区別ですね。

國分　ところがいまの世の中を見ると、孤独がなくなっている。孤独な経験がないから、人はすぐに寂しさを感じてしまう。そして、孤独はズレているときに起こるんです。世の中からズレているとき、なぜ自分が考えていることと感じていることを周りの人はわからないんだろう、と思う。それはまさしく自分自身と対話するということです。

つまり、勉強することがズレることだとすれば、それは最終的に、孤独をきちんと享受できるようになることだと思うんです。

千葉　そう。独学というのも、まさに孤独に生きることをいかに肯定するかを学ぶことなんですね。

國分　実存主義が流行った頃は孤独という言葉がかっこよく使われたけど、いま、あまり孤独って言わない。若い人はすぐに「ぼっち」とか言うでしょう。

千葉　「ぼっち飯」は恥ずかしいとか。

國分　何がぼっちだ、と思う。いまは「仲間」とか「つながり」ばかりが強調されている時代で、孤独の重要性は本当に忘れられてしまっている。だから『勉強の哲学』から孤独のことを考えてもらいたいと思うんですよ。勉強は孤独と切り離せない。

千葉　僕のイメージでは、孤独な人ってものを作る人なんですよ。僕はもともと美術をやっていて、そこから言語のほうの仕事に移ったという経験もあるんですけど、僕がこの本でイメージしている勉強は、ある種のものづくりなんです。ノートに書きためていくとか、独特の仕方で知識を自分の中で組み合わせていくというのも、自分の中に言語彫刻を作っていくようなイメージで書いています。それは孤独な作業です。

　その点から先ほどの教師の話に戻ると、僕が教師を強い他者ではなく、半他者みたいなものとして考えるのも、孤独にものを作ることを本質的な場面と捉えているからです。その場合、教師はモデルにする人というイメージです。つまり、教師は教師で何かコチョコチョものを作ることを通じて、孤独に生きることの模範を示してくれる存在なんですよ。

　目の前に現れたそういう存在に影響されて、自分も孤独な作業を始める。そのとき教師は、あるシステムを自分を飲み込むようにインストールしてくる他者ではなく、こちらから離れた自己充足的な存在としてあるわけです。

國分　なるほど。ドゥルーズも『アベセデール』でそういうことを言っていましたね。教師のとても大事な機能というのは、孤独な時間がなければ人は何かを成し遂げることはできないと教えることだって。

千葉　たとえば、何も教えてくれない先生に影響を受けることもしばしばある。逆に、こうしたらわかるだろうと、手取り足取り教えている教師は、学生を信用していないことになる。親切に接すれば接するほど、教師の権威性が下がるというより、学生の自己信頼が下がる可能性がありますから。もしかしたら、あまり親切にしないほうが学生の自己信頼を高めるかもしれない。教師と学生のあいだにはそういうパラドックスがありますね。

「権威主義なき権威」の崩壊

國分　千葉君がいま触れた「権威」も勉強と関わる重要なテーマですね。僕は勉強が大切だというときに、「権威主義なき権威」をどうやって身につけるかを常に考えているんです。

千葉　「権威主義なき権威」という言い方は僕もします。國分さんと同じ意見かどうかはわからないけれど。

國分　これもハンナ・アレントが言っているんだけど、政治は自由で平等な人々の間で言葉を使って行われる説得を基礎にしている。その対極にあるのが暴力で、これは力で相手を圧倒して言うことを聞かせるわけです。興味深いのは権威で、これは説得と暴力のあいだにある。人が自由を保持しつつ服従するというのがアレントによる権威の定義です。つまり、自分で判断できる余地があり、自由に振る舞えるんだけど、そのうえで「これはすごい」と思って服従する。

千葉　選択の余地があるけれども、服従する。

國分　そうです。殴られるわけでもないし、説得されるわけでもないけれど、自ら従う。勉強も同じようなところがあって、勉強すると「ドゥルーズすげえな」とか「プラトンすげえな」とか、そういうすごいものにたくさん出会うわけですよね。

そういう出会いを通じて、何を大事にしなければいけないのか、何を破ってはいけないのかを学んでいく。僕は最近、本当に保守化しているから、「徳」のことをずっと考えているんですよ。「義を見てせざるは勇無きなり」こそが大切で、勇気を持たねばならないとか、そういうことをよく考えるんです。

千葉 そういうことを言うようになりましたか(笑)。

國分 うん。だって、いまの世の中で、「権威主義なき権威」は本当に崩壊しているでしょう? ちょうど今日(二〇一七年五月一九日)、共謀罪法案が国会の衆議院法務委員会を通りました。こういう日付のことはすぐに忘れられてしまうのでここであらためて言っておきたいと思います。この五年弱のあいだにいまの与党がやってきたことを見ると、まさしく「権威主義なき権威」の崩壊の政治的帰結を見せられている気がするんです。

僕が大学生だった九〇年代半ば、高校の現代文の教科書から漱石と鷗外が消えるかもしれないというのが話題になりました。実際には消えなかったんだけど、この問題をめぐって、文学上の権威に触れなくていいのかという議論が起こった。浅田彰さんが「教科書なんて権威主義でいいんだ」と言ったのも話題になりました。

要するに、あの頃から権威の崩壊が始まっていたんですね。それがこんな帰結をもたらすとは大学生だった当時は思いもしなかったけれども、権威が崩壊した結果、何を大事にしたらいいのかがまったくわかっていないオジサンたちが政治をやるという壊滅的状況が生まれた。むしろ文学ではなくて政治において権威が崩壊したわけです。特定秘密保護法とか武器輸出三原則の緩和とか憲法解釈変更とか安保法案とか、前の世代だったら「さすがにそれをやるのはまずいでしょう」と思ったであろうことを、いまの与党は「先輩！　いろいろ言われたって、知らんぷりしておけば大丈夫ですよ！」みたいな単なるノリで次々に実現している。そしてそういう政治を国民が支持している。僕がこの五年間、「勉強が必要だ」と言っているのは、そのことをずっと考えていたからです。

千葉　いまの話は、僕も本当に同意します。

國分　権威も何も知らない、「云々《うんぬん》」も読めない人が首相になっている時代、一人一人に何ができるかと言ったら、勉強をして、権威主義とは違う形で権威とは何なのかを体得していくことに尽きるんですよ。だからこの本によって、勉強と「権威主義なき権威」というものとが結びついて理解されてほしいし、みんながそれを体験する一助になってほしいと、本当に心から願っています。

千葉　この本の後半で「勉強するにあたって、信頼すべき他者とは誰なのか」という話を書いているんですが、書いている最中には、権威という言葉が喉まで出かかっていました。だけど、その語を使わないで、それに近い話を書くことにチャレンジしてみようと思ったんです。

異なる立場を比較し続ける人

千葉　じゃあ「信頼すべき他者」とはどういう人なのか。本の中では、常に歴史の蓄積のある議論に参加していて、複数の異なる立場を比較し続けている人だと説明しています。比較し続けている人とは、「こう決めちゃえばいい」という単純な決断を逃れている人。そして、そういう比較し続けている人同士が信頼に基づいて、知の共同体を形作っている。われわれが読むべき本も、まずそのような人が書いた本です。これはかなり保守的な発想でもあって、知的信頼の空間は、権威性を帯びている空間だと言っているわけ。その意味では、ソフトな権威主義なんですね。

ただ、Evernoteの解説書を書いている倉下忠憲さんが、その部分に関して、「これは権威主義の批判として読める」という感想を書いてくれました。どういうことかというと、誰かが一度認められて偉くなると、もう機械的に「あの人が言っているから正しい」と従うのが、悪い意味の権威主義だと。だけど、僕が言っている比較し続ける人は、知の共同体の中で、絶えず吟味にかけられる。だから、途中で真面目な議論から降りて、他の人とコミュニケーションを取らないような状態になったら、もうその人は権威者から脱落する。つまり、権威とはそういう「知的な相互信頼の空間」を形作っていくプロセスの中にあるのであって、それは悪い権威主義に対する批判として読めると、倉下さんは言ってくれたんです。

僕がソフトな権威主義という言い方で問いたいのは、そういった絶えず再編成され続けるような、歴史的な信頼関係をどう引き受けるかという問題です。ところが現実には、乱暴に断言したり、単なる経験的な直感で決断する人がウケたりするわけじゃないですか。やはりそれではいけない。一定の蓄積のもとで考える、ある種の保守主義が僕は必要だと思う。

歴史の重々しさにどう触れるか

國分　歴史という言葉をどう理解するかも、大きな問題です。世間でいわれている歴史は、僕に言わせれば、歴史ではなくて物語なんだよね。右も左も物語の脚色の話をずっとしているわけです。

歴史とは、僕らがどうにもできない地層のようなものであって、僕らの上に重しとしてのしかかっているものです。その重しみたいなものは、勉強を続けないと認識できない。勉強を続けていないから、物語をどう自分たちに都合がいいように改変するかという話になってしまう。『中動態の世界』を出した後の取材で、「國分さんの本でこんなに歴史について語っているのは初めてではないでしょうか」と言われました。千葉君から又聞きしたところでは、小泉義之先生も「これは歴史の本だ」とおっしゃってくださっていたそうです。この感想はすごくうれしかったんです。自分たちがどういう歴史の中にいて、それゆえにどういうパースペクティブでものを見てしまっているのか、そこから過去を眺めるのはどういう意味を持っているのか、そうしたことをものすごく考えて書いたのがあの本でしたから。

実は、最初から歴史を強く意識していたわけじゃないんだけれども、勉強していくうちに、中動態を扱う学者たちの手つきがあまりにも歴史を無視していることがわかってきた。彼らは中動態の意味をつっつき回しているだけなんです。

でも中動態は、歴史の大きな変化の流れの中にある。だからその流れをつかまなければ定義なんてできるはずがない。それで僕自身は言語の歴史から中動態を考えようと思ったわけです。同じような歴史軽視はいろんな学問で起こっています。具体的な歴史の中でこそ物事が決まっていくのに、そこを見ずに理論だけをありがたがる。いまこそ、歴史の重々しさに触れ直さなきゃいけないし、そのためには勉強しかない。

しかし、歴史の重みに触れるのは本当に難しいことなんです。スピノザは「何か確実な物事を知っている人でなければ、確実さとは何かわからない」と言っている。つまり、歴史が重たいものであることを経験したことがなければ、いくら「歴史の重々しさ」と言ってもわからない。

千葉　そのための教育的な方法は、古い資料を読むことで、そこで大事なのは結局、語学なんですよね。先日、今後は機械翻訳が優秀になるから、外国語学習はいらなくなるだろう、という経済学者の書いた記事を読みました。確かにいらなくなる局面もあるでしょう。しかし、たとえば一七世紀や一八世紀に一体何があったのかを考えるときに、言葉の意味がどれだけズレたかとか、いまからはまったく推測もできないような言葉の使われ方をしていたとか、そういう言語の他者性を通して歴史のリアリティに触れる経験は、外国語を学ばなければできないことです。

僕自身『勉強の哲学』で、勉強の本質は別の言葉遣いを覚えることだと言い切っている。まさにその時、自分が崩壊する経験をする。いま、自分が持っているボキャブラリーとまったく違うボキャブラリーの中に入っていく。ボキャブラリーが変わるとは、考え方が根底から変わることであり、それが変身なんだという、かなり言語偏重な見方をしているわけです。

國分さんの『中動態の世界』も、いまのわれわれの言語を支配している能動態と受動態というシステムからはアプローチできない言語の地層の深いところに、まったく違う言語体験を身につけ、変身することを通してアプローチしていった。いわば、國分さんが古代ギリシア人になったんですよ。

國分　古代ギリシア人への生成変化というのはいいね（笑）。言葉を通じて歴史に触れるというのは、生成変化することだと思います。

千葉　歴史のリアリティは資料読解にしかないわけですよ。歴史の実体って、われわれにとっては資料しかない。それはテクストであり、イメージであり、表象である。

國分 エクリチュールからしか僕らは歴史に触れられない。

千葉 そう。だから、解釈でどうにでも変えられるというのは、資料をバカにしていることなんです。

キモさからの復帰

客席からの質問 変身の三段階に関わることなんですが、『勉強の哲学』では、いったんキモくなった後に、享楽的こだわりを変化させながら行為して、環境に戻るということが書いてあります。そのことと、「それなりには周りに合わせもしながら」ということのつながりがよくわからなかったんですが。

千葉 ごめんなさい、その理論は実は明確には書いていないんです。つまり、最後の第三段階で、どうやって周りのノリをシミュレーションするかは、そのやり方は各自にお任せします、ということです。

ただ、ノリから離れた後に、もう一度、周りのノリに合わせる段階になったときには、何か自分の持っている享楽が利いた形で、どこか変な個性を持っている人としてノリの中に戻ってくることになると思うんです。そして、少なくとも自分がどう振る舞ったら浮くことになるのかは自己分析でわかっているわけでしょう。つまり、アイロニーやユーモアをどこかでやりすぎているわけです。ということは、それをやりすぎなければ、周りに合わせられるようになると思います。

國分　いまの話は、僕が最初に言った、この本で想定されている「リッチな主体」という問題と関わっていると思います。「リッチ」のもう一つの意味は「周りに助けてくれる人がいる」ということなんだよね。本には、「普通にしゃべれなくなった後、いわば『一周回って』環境にまた戻り、単に合わせるだけではない形でそこに参加し直すことが、できるようになる」と書いてあります。僕も、そういう復帰がいったいどういう様態で起こるかが気になりました。たとえば、かつての僕が極限までキモくなったときに、僕はどうして復帰できたんだろうか。

千葉　どうして復帰できたんでしょうね。

國分　それはやっぱり優しい友人たちがいたからかなと思う。友達を議論で泣かせたときに、別の友人から「國分君、ちょっとやりすぎだよ」とか言われるわけですよ。そうやって思ってくれるような人が結構いて、それは「リッチ」なことだと思うわけ。

でも、これはすごく幸運であって、いつもそういうことが起こるとは限らない。そういう意味では、一回キモくなった人がもう一回共同体に復帰する際の手助けをしてくれる人がいるかどうかは、かなり死活的な問題です。誰でもできるわけじゃない。

千葉　ただ、リッチな条件を持ってない人も、もしかすると新たに友と出会えるかもしれない。

國分　だけど、その場合は復帰じゃないよね。普通に友達のコミュニティが変わるということじゃないの？

千葉　いや、僕が言っている復帰とは「ノリの世界に復帰する」ぐらいの広く大きな意味で、もともとのコミュニティに復帰するとは限りません。でも、國分さんの体験談は重要で、本の中でもやっぱりキモく勉強する友が必要だと書いているわけです。

だとすると、本を書いている段階ではそこまで自覚してなかったけど、「キモ友」と十分コミュニケーションを取ることが、キモさから抜けていく段階で必要なのかもしれないですね。

ただ、第三段階に抜ける道筋を、「この条件を満たせば確実に行けます」と書くのは、変な気がしたんです。ヒントは書くけど、そこはやっぱりジャンプしてもらわないと、すごくしょうもないノウハウ本になってしまうんじゃないかと思って、書かなかったことも確かです。

人間以外の教師はあり得るか

客席からの質問　教師の話に関連して、人間以外の教師はあり得ると思いますか？

千葉　僕のいう「半他者」は、何かそういうものを考えているところはあります。人間にとって同じ人間は、すごく特殊な存在者で、他者に自由意志があったり、底知れない心の深みがあったりということをなぜわれわれが想像するようになるのかは、哲学的に巨大な問いです。

そして、そういう深淵を持つような他者だからこそ、そこから教わることに何かとても強大な力が生じる。そうではない深みのない他者を相手に学ぶことは、人間を相手にすることとは区別して考えるべき問題で、僕は後者のほうにたぶん興味があるんです。

たとえば自己啓発本って自分がわかりきっていることを他人に言ってもらうことが大事なんですね。早起きは三文の得なんて当たり前だけど、「朝早く起きれば人生がときめく」とか他人が言ってくれると、「やっぱりそうだったのか」とハッピーな気分が一カ月ぐらいはもつ。でも半他者の効果ってだいたい一カ月ぐらいで切れるので。また似たようなことを言ってくれる別の人の自己啓発本を買わなきゃいけなくなる。

だから、たぶん生身の人間とシミュレートされた半他者とでは、他者が及ぼしてくる効果が違うんです。それを踏まえて、僕は、ある種唯物論的には、魂なきシミュレートされた他者のほうを基礎に据えて、そこから生身の人間をその上部構造として考えるのが筋だろうと考えたんです。

國分　人間以外の教師と言えるかどうかわからないけど、「私淑する」という言葉が僕は大好きなんだよね。僕もたくさん私淑しています。私淑することも、ある意味では人間じゃないものを教師にするみたいなところがあります。

千葉 死んだ人に私淑することもできますからね。

國分 そうです。だから、勉強の契機というのは、たくさんあると思います。僕はもちろん教師は大事だと思っている。それは強制力を働かせるために重要だと思うけど、それではくみ尽くせない場面があって、独学も、私淑することも、半他者を活用することも必要。そうやって多元的に勉強するほうが絶対に面白いんですよ。

第三章　「権威主義なき権威」の可能性

（「現代思想」二〇一七年八月号掲載）

ムラ的コミュニケーションの規範化

國分　「コミュニケーション」が今日のテーマですけれども、まずこの言葉の意味が、僕が大学生の頃とまったく違っていると素朴に思います。たとえば就職活動の場面などで「コミュニケーション能力が大切だ」と言われるとき、そこでイメージされているものを自分はわかっているつもりだったんですが、どうもわかっていないようだということに最近気がついたんです。「空気を読んでうまくノって話す」という実に独特のイメージがいま、「コミュニケーション」という言葉に付与されている。僕が大学生の頃までは、コミュニケーションとは「発表する」あるいは「発表して伝える」みたいな意味で使われていたような気がします。たとえば柄谷行人さんの「交通空間」は、英語では本人によって「communicative space」と訳されていました。ノリがどうのこうのというのとは何も関係がないというか。

千葉　え、それはアレント的な公共空間でのコミュニケーションですよね。元からそういうイメージだったというのは、國分さんらしいというか（笑）。

國分　そうですね。かつてコミュニケーションにノリのイメージなんてありました?

千葉　むしろ僕はそのイメージのほうが強かった。というのは、僕の家は父方の祖父母がいる大家族で、隣にも親戚が住んでいるような田舎の環境だったのですが、「口では言わないけどAはBのことを実はこう思っていて、そのことを踏まえたうえでどう行動するか」みたいなことをコソコソ相談して口裏を合わせるだとか、とにかくそういう能力を自然に発揮できるよう鍛えられて育ってきました。それが僕にとってコミュニケーションの原イメージなんですよ。空気を読んでの根回し、それがザ・コミュニケーション。

國分　そういう人間関係のことはよくわかる。でも、そういう家族関係、ご近所付き合いを指して「コミュニケーション」と呼んでいただろうか。それに対し、いまはご近所付き合いに非常に近い意味がこの言葉に込められていて、あるときそれに気がついてびっくりしたんです。僕らが教えている世代の学生たちにとって、コミュニケーションという言葉のイメージは完全にそれなんですよね。

千葉　なるほど、「ムラ社会的」とでもとりあえずは呼べるような。

國分　柄谷さんの例を出しましたが、よく知られているように、彼の言っていた「交通空間」は「ムラ社会」的なものの対極にある、ある種のオープンスペースを意味していたわけで、この意味ではコミュニケーションという言葉は一気に正反対の側に位置づけられたとも言える気がするんですね。

千葉　柄谷さん的な交通空間は、ムラから外に出た、もっとコスモポリタンな対他関係のことを言っているわけですよね。國分さんにとってはそれがまず第一だと。

國分　ところがいままでは、クローズドコミュニティの中でのノリにうまく乗れているとコミュニケーションが成功していると言われ、乗れていないとコミュニケーションの障害を持っていると言われる。おそらくこの二〇年くらいでそういう大きなイメージ転換があった。このイメージ転換をもたらした何らかの力によって、今日、「コミュ障」という言葉が異常なまでに普及するに至っている。

　ここで思い出すのは、ＡＳＤ（自閉スペクトラム症）の診断数の爆発的増大のことですね。熊谷晋一郎さんからこのことについてよくお話を伺うのですが、この二〇年で本当に信じられないほど診断数が増えていて、二〇年前の約二〇倍という数字もあります。こういう現象はその原因を一義的に規定することは難しいわけですが、診断数が、すなわち、医者に連れて行かれてそのように診断される人の数が増えているという事実の背景には、「標準的なコミュニケーションの規範に乗るべきである」という圧力が強くなっていることがあると思います。つまり、昔だったら「ちょっと変わっている」とか「ちょっとノリが悪い」くらいで済ませられていたものがそれでは済ませられなくなった。特に親が子どもを見ているときに、かつてなら「ちょっと一人遊びが多いな」くらいで処理していたところを、「うちの子はどうなのかしら……」と病院に連れて行くようになった。

千葉　いわゆるコミュニケーションの障害は、ムラ的なコミュニケーションを規範化する社会によって規定されている面があるだろうということですね。それは同感です。

この一〇年、二〇年というのは、やはりインターネットの普及以後ということです。他人の目を気にして忖度《そんたく》するようなタイプのコミュニケーションがネットの拡大によって爆発的に増えた。結局はそれは、ムラ社会的感性の爆発的拡大である。かつてインターネットはコスモポリタンな関係を実現するという夢が語られましたが、それどころかもっとムラ的なものが強まる形になり、過剰に空気を読み合う状況を生み出し、その中でいかにコミュニケーション付加価値みたいなものをアピールできるかの競争、コミュニケーション資本主義の競争が強まっていき、そこにうまく乗れないケースが「障害」として発見されていく。

エビデンス主義の背景にある言葉の価値低下

國分　千葉さんがかねがね「エビデンシャリズム」と言っていることともつながってきますね。これはインターネットに加え、新自由主義的な経済体制の台頭とも相関関係にあると思います。そこでは言葉ではなくて「エビデンス」として認められている、極限まで種類を切り詰められたパラメータに従ってのみ評価が行われ物事が進んでいく。エビデンス主義の特徴の一つは、考慮に入れる要素の数の少なさです。ほんの数種類のデータしか「エビデンス」として認めない。

そしてエビデンス主義の背景にあるのが、言葉そのものに基礎を置いたコミュニケーションの価値低下だと思います。人を説得する手段として言葉が使われず、「エビデンス」のみが使われていく。それこそアレントが言っていたような政治のイメージは、みんなが言葉でやり合ってその中で一致を探るというものでしたが、言葉による説得と納得はかつての地位を失ってしまっている。

千葉　言葉で納得するということと、エビデンスで納得するということは違うことなんですよね。

國分　全然違いますよね。

千葉　まずそのことを確認するのはとても大事だと思います。そういうふうに思われていないでしょうから。エビデンスの勝利は言葉の価値低下なのだということが、まずは共有されなければならない。

國分　そこは本当に根本的なところだと思います。

　ところでこの場合のエビデンスとは何なのでしょうね。世の中では数字とか言われているけれど。

千葉　基本的には、ある基準から見て一義的なもののことだと思います。多様な解釈を許さず、いくつかのパラメータで固定されているもの。もちろん代表的には数字です。それに対して言葉というのは、解釈が可能で、揺れ動く部分があって、曖昧でメタフォリカルです。エビデンスにはメタファーがない。まあ、エビデンス主義者ならばメタファーを消し去ってエビデンスで行くことが必要なのだと言うでしょうけどね。メタファーの価値低下が文明論的にどれほど大変なことかが理解されていない。これがポイントでしょう。エビデンシャリズムの強まりとは、メタファーなき時代に向かっていることでもある。

國分　メタファーなき時代。それは立木康介さんが『露出せよ、と現代文明は言う——「心の闇」の喪失と精神分析』（河出書房新社、二〇一三年）で言っていたことと近い感じがしますね。

千葉　精神分析系の論者はみんな口を揃えて言っています。メタファーがなくなっていくと。われわれの無意識の構造にとってメタファーというのは基本的なものだという認識があるので、社会がかつての神経症／精神病モデルでは語れないようなものに変わっていっていると言うときの中心になるポイントです。

「心の闇」が「蒸発」した社会

國分　立木さんは「抑圧＝メタファー」（二一二頁）と書かれていますね。抑圧はメタファーであり、メタファーが衰退しているということは抑圧が衰退しているということだと。

千葉　メタファーとは、目の前に現れているものが見えていない何かを表すということですから、見えていない次元の存在を前提にしている。ところが、すべてがエビデントに表に現れるならば、隠された次元が蒸発してしまうわけです。

　立木さんの本の後半では、エビデンス批判がされていますね。

國分　あの本で重要だと思ったのは「心の闇」が必要だという指摘です。例として取り上げられていたのは、一九九七年の神戸連続児童殺傷事件、いわゆる「酒鬼薔薇事件」です。評論家たちは犯人の少年の「心の闇」について語った。でも、むしろ「少年は、残念ながら、心の闇をつくり損なった」のであって、自らの「苛烈な欲望」をその闇にしっかりと繋ぎ止めておかねばならなかったというのが立木さんの指摘でした（二七頁）。

　きちんと「心の闇」を作ることが大事なのに、それがいままさしく「蒸発」してしまっている。

千葉　あるいは、至るところにダダ漏れになっている。かつてだったら2ちゃんねるみたいな空間に「心の闇」が一応は隔離されていたのが、いまや2ちゃんねる的言説がＳＮＳの至るところに撒き散らされている。これは松本卓也さんが言っていたことなのですが、本来だったら無意識に書き込まれるべきことがネットに書き込まれている。

國分　なるほど。「心の闇」による隔離が弱まった結果、これまでだったら人目に触れるはずのなかったような欲望がネットに書き込まれるようになり、ネットはまるで無意識が書き込まれる場所のようになっている、と。

こうやって「心の闇」の機能を論じていると思い出すのがアレントのことです。彼女は『革命について』（ちくま学芸文庫、一九九五年）の中で、「心の特性は暗闇を必要とし、公衆の光から保護されることを必要とし、さらに、それが本来あるべきもの、すなわち公的に表示してはならない奥深い動機にとどまっていることを必要とする」と述べ、まさしく「心の闇」の機能を肯定的に論じています（一四二頁）。

どうしてアメリカ革命とフランス革命を論じた本でアレントがそんな話をしているのかというと、これはロベスピエールに対する批判として出てくる話題なんです。ロベスピエールは社会から偽善や欺《ぎ》瞞《まん》を廃絶しようとした。だから人間の心に徹底的に光を当てようとするんだけれども、アレントに言わせれば、動機というものは明るみに出された途端、その背後に別の動機を潜ませているように思わせてしまう。「動機は、その本質からいって、姿を現すことによって破壊される」とアレントは言っています（同前）。つまり追及すればするほど、さらに奥に別の動機が潜んでいるのではないかと思われてしまって、結局その人間は疑惑の対象になる。「おまえは偽善者だ。反革命だ」ということになって、ギロチンにかけられることになるわけです。何でもかんでも理性の光の下に晒《さら》そうとすると全員偽善者になるので恐怖政治が起こる。これがアレントによるロベスピエール批判なんですね。

これは実に現代的な問題だなと思うんです。思い出すのは学生たちの就活のことです。「うちの会社を志望する動機を教えてください」と聞かれ続けている就職活動中の学生たちというのは、ロベスピエールの前に立つ革命家のようなものではないか。さらに厄介だと思うのは、ロベスピエールは「おまえは偽善者だ！」と言ってきたけれど、いまの社会はその偽善を突くんじゃなくて、そうして語られた「動機」を評価してくるし、場合によっては信じてしまうわけでしょう。これは、心には光を当てても見えてこない闇の部分がどうしても残るのだという感覚をずっと否定されているということであって、これでは自意識がおかしくなってしまうのではないか。

千葉　うまく偽善者ぶれるかどうかというゲームがあるのかもしれませんね。しかしそのアレントの話は興味深いものです。言い換えるなら、「心の闇」というのは不合理ですね。完全に光に照らして理性的に説明することはできないような不合理性が、他人を「一応は信じておく」ためにどうしても必要なんでしょう。完全なる信頼を目指してすべてをエビデントに説明させようとすると、人間社会は根本的に崩壊してしまう。

國分　ゲームとして行われているのならよいのですが、それこそ就活で苦しくなって自殺までしてしまう学生がいることを考えると、少なくとも学生のほうは「動機をきちんと持たなくてはならない」と信じようとしているのではないか。

千葉　動機の説明責任があると素朴に思わせられていますよね。

國分 思わせられているし、それを信じようとしていると思う。

千葉 動機を言語化できなくてはならない、説明できなければ動機ではない。しかしそれこそが、信頼を崩壊させる。だから「心の闇」が大事だということですよね。

國分 大事ですね。心に「闇」を持たないといけない。

千葉 「心の闇」をいかに育むか。それがコミュニケーションの根本でしょう。

國分 アレントという人は人間の実存について本当によくわかっていたと思うし、それはこういう指摘によく表れていると思います。彼女には公共空間を云々する政治学者の面もあるけれど、もう一方で実存主義的な側面があって、これはおそらくハイデガーやヤスパースのもとで学んだことと無関係ではないでしょうね。人間の心理／真理がわかっていた。だから、アレントは精神分析の話はまったくしないけれど「心の闇」が薄くなって無意識が縮小したという精神分析的論点にも応用できる話をしている。

個人の問題でないものが個人の責任に

千葉 現代的なコミュニケーションの主要な問題は、何でも明確に表に出して言うということの規範化だと思います。明るみの規範化。本当はそこまで言いたくない、黙っていたい、もうちょっと静かにしていたいというような気持ちを尊重してくれない。おそらくそういうタイプの一部の人たちは、自分を「コミュ障的」と自認したり、さらには「コミュ障的」であることに何らかの抵抗的な意義を込めたりするのだと思います。明るみに晒されすぎることに対する抵抗ですね。

國分　そういうふうに抵抗的ポジションに身を置いている人がいたらすごくうれしいとは確かに思うけれど……。

千葉　倫理－政治的な意図としてそういうポジションに身を置くというより、やむにやまれぬ無意識的な反応として、ということですが。まさに「心の闇」としての無意識が存続しようとするがためにそういう反応が起こることがありうる。

國分　自閉症を「コミュニケーションの障害」とする見方がまだ社会には流通しているんですが、コミュニケーションというのは当然のことながら人と人とのあいだに起こることですから、コミュニケーションがうまくいかないというのはどちらかのせいではないわけです。ところがうまくいかないと、それが弱い側、つまり少数派のせいにされてしまう。

　そもそも少数派は多数派に包囲されているわけですから、少数派に固有の経験を分かち合う場というのは限られています。これは熊谷さんがお書きになっていたことですが、身近な人間関係において自分の経験を言葉で詳細に分かち合う経験があると、過去のエピソードの物語化、未来の具体的想像、さらには他者の理解といったものが促進されることがいくつかの実証研究でわかっているそうです（「強いられる他者の理解」『at プラス』31号、太田出版、二〇一七年）。

すると、そういう経験が限られている人たちは、コミュニケーションにおいて大きな役割を果たすこれらの事柄に困難を抱えることになる。とすると、「コミュ障」という言葉によって、経験を分かち合う機会の不平等のような、個人の問題にはできないはずのものを個人の問題にしている可能性もある。

千葉　あるいは、異質なコミュニケーション様式の衝突が起こっていると見ないといけないところを、個人の責任にされてしまうという問題がある。

自閉症的なケースをコミュニケーションの障害と定義すること自体が、コミュニケーション規範的な社会観からの規定なんですよね。僕が所属する立命館大学先端研では自閉症に関する研究が盛んなのですが、そういう社会観を大きく問題にする議論も出ています。そのように社会状態を考慮するなら、「いわゆる」自閉症がいかなる状態なのかは実はよくわかっていないということになる。器質的要因があると言ったって、それがどういう意味を持つかをわれわれは社会的な規範性を通して解釈しているのだから、単純に、脳レベルでもともとコミュニケーションが苦手だなんていう粗雑な話では済まないわけです。

貴族的なものの消滅への危機意識

國分　エビデンシャリズムに対して僕は「言葉の力」ということを言いたいと思うけれど、それは明らかにある種の不平等の肯定とつながることも同時に確認しなければならないと思います。そこには、できる人とできない人という明確な能力差がある。

千葉　逆に言ってエビデンスは民主的なものですね。科学とはデモクラシーである。

國分　ですから先ほどの「ネットに無意識が書き込まれている」というのも、いまの時代の民主主義的状況の帰結であるわけですね。万人に平等にメディア環境が与えられた。それは実に重要な進歩であったけれども、そこから、これまでだったら口に出さないどころか、考えるのすら憚《はばか》られたことを平気で公にする人間たちも出てきた。トランプ大統領の登場はそうした現状の一つの表現でしょう。しかも、それは既成の体制に基づいて権力を思うがままにしてきたエスタブリッシュメントへの抵抗の表れでもあるのであって、その意味では民主主義を求める訴えであるとも言える。

千葉　そこが厄介ですね。無意識ダダ漏れというのが民主主義の徹底状態であると。

國分　そこは確認しなくてはいけない。現代における民主主義的なものの徹底が持つ二面性を見据えなければ、いま起こっていることは理解できないと思う。民主主義的なものの徹底が二面性を持つという事実から目を背けてはならない。

　すると、この現状において「言葉の力」を訴えることは、ある種の精神的な貴族性を肯定することにつながると思うんです。

千葉 なるほど。ある種の「貴族的なもの」ですね。

國分 僕はいまそのことばかり考えています。実際、いまアレントをよく読んでいるんだけれど、彼女も現代における「精神的な貴族」の消滅を問題にしていました（『人間の条件』ちくま学芸文庫、一九九四年、一五頁）。

千葉 たとえば、東浩紀さんたちが『思想地図β 日本2・0』（ゲンロン、二〇一二年）で憲法草案をつくりましたよね。あそこでは参議院の代わりに日本国籍の人以外も含む世界の哲学者や賢者が集まる上院を置くべきだとされました。東さんは『一般意志2・0』（講談社、二〇一一年）でニコニコ動画的なワイワイとヤジが飛ぶような政治空間を一方で支持しているわけだけれど、それに対するスタビライザーとして貴族院的発想が必要だと思っているわけです。ここでの話はそれとも共通する危機意識なのではないかとも思います。

國分 僕にとって貴族的なものというのはずっとテーマとしてあって、『暇と退屈の倫理学』も一言で言うと、全員で貴族になろうという本だったんですね。楽しみ方を知っていて、暇になっても困らない人間になろう、というのがその根本的主張だった。

千葉 言葉で信じる、言葉で納得するというのは誰の目にも平等に明らかな、エビデントな事態なのではないわけです。信頼や納得にはどうしても偏った判断が働くわけで、その偏りについて煎じ詰めて考えるならば、人における貴族的なものを考えざるをえなくなる。

「内なる声」と水平的な対話

國分　すると、いま言った貴族的なものは、心の中のある種の反省作用というか、深みみたいなものとも結びついてくることになると思います。

最近、フィンランドで始まった「オープンダイアローグ」という精神療法が話題になっていますね。あの実践はみんなで集まって話をするという意味では水平性の肯定のように見える。ところが、そこでも垂直的なもの、個人内部での「垂直のダイアローグ」も大きな役割を果たしていることが、この「オープンダイアローグ」の開発者の一人であるヤーコ・セイックラによって指摘されているそうです（松本卓也「水平方向の精神病理学に向けて」『at プラス』30号、太田出版、二〇一六年、四八頁）。

たとえば患者がオープンダイアローグの中で父親のことを話題にすると、それを聞いている他のメンバーたちの心の内部でも父親をめぐる連想が生じる。そういう「内なる声」との「垂直のダイアローグ」と、参加者のあいだの「水平のダイアローグ」の協同こそがオープンダイアローグの中で重要なんだということですね。内なる声をあまりに特権化しすぎると、超自我による支配に近づいてしまう。しかしそういった垂直的なものを水平的なダイアローグで中和するわけですね。

千葉　内省に閉じこもらないようにすると。

國分　内なる声との対話と水平的な対話とのバランスが大切だというすごく常識的な話ではあるのですが、しかしこれで解決できることが多い。その成果についてどう判断してよいのかいまの段階では僕にはわかりませんが、そういう常識的な話に戻ってきているということなのでしょうね。

千葉　そう聞くと、平等なピアの対話と、規範との交渉がそれなりに両輪で機能していた戦後民主主義の古き良き一時期を復権させようという話に聞こえなくもないけれど……。

國分　でもそれでいいんじゃないでしょうかね。

千葉　そういう復古がある気がする。そしてそこにある種の真理があるというのは確かにそうだと思う。

　どうして現代の若い人たちがこれほど承認をめぐる争いに巻き込まれ、とにかくネット上で「いいね」を押してもらいたくてしょうがないということになっているかと言えば、ピアの目だけになってしまった、規範が空席になってしまったからだと言われますね。それはある程度、当たっていると思います。規範が厳然とあった時代には、規範との距離をどうするかが第一だった。

國分　その規範というのはいろいろ言い換えられると思います。先ほど言った内なる声でもいいし、超越的なものでもいいし。もちろん、精神における貴族的なものもそうでしょう。言葉は必ず他者の言葉である、つまり生まれた後に誰かから強制されたものであるということを考えれば、言葉の力もそれにつながる面を持っている。

　やや我田引水かもしれませんが、以前、千葉さんが松本卓也さんとの対談で『暇と退屈の倫理学』のことを「日常性への回帰」であり、生活の問い直しなのだと指摘してくれました（「ポスト精神分析的人間へ」『at プラス』30号、前掲）。ハイデガーは退屈の形式を三つ挙げ、第三形式の「何となく退屈だ」こそがいちばん大切だと言ったのだけれど、『暇と退屈の倫理学』は第二形式に注目している。これはある種の日常性への回帰である、と。

　大変ありがたい指摘でした。あの本の中で僕は、退屈の三つの形式は直線に並んでいるように見えるけれど、実はそうじゃないと言いました。第三形式が根底にあって、それに対する対処の仕方にしたがって、第一形式と第二形式が現れるんですね。

　生きていると「何となく退屈だ」の声はどうしても聞こえてくる。だからこの声を聞かなくて済むように忙しくしようとすると第一形式が発生します。「仕事」がないと耐えられないというワーカホリックな人が経験する退屈ですね。これに対し、第二形式とは最初からパーティーという暇つぶしが行われていて、その中でボンヤリと生じる退屈です。第二形式のポイントはなぜ最初から暇つぶしが行われていたのかということです。これは言うまでもなく、第三形式に対する応答なんですね。僕らは生活していると必ず「何となく退屈だ」の声を聞く。だからパーティーのような楽しみを、暇つぶしとして生活の中にいくつも配置しているわけです。『暇と退屈の倫理学』における第二形式への注目というのは、この「何となく退屈だ」という内なる声を否定するのではなく、それをやり過ごしつつ、たとえば葉巻を吸いながら自分自身と向き合う時間を大切にするという、これまた常識的な主張であったわけです。あそこでも「何となく退屈だ」という垂直的なものと向き合いつつ、それをうまくやり過ごすことが問題になっていた。

千葉　退屈の第三形式は、超越の問題に関わっているということですね。

國分　そうです。その超越は消えない。でも水平のコミュニケーションを活用しながら、「内なる声」として現れる超越と付き合うことができる。こう考えると、オープンダイアローグにも縦と横の両方があるという話は、『暇と退屈の倫理学』の構図にも関係してくる気がしたんです。

　これも松本さんが示唆していることですが（「水平方向の精神病理学に向けて」前掲）、ガタリの「横断性」という概念もそこに関わっていると思います。ガタリは「垂直《おしつけ》」と「水平《よこならび》」の両方を乗り越えるものとして「横断性」の概念を構想していたのだろう、と。ガタリの「横断性」の概念はそれだけを読んでもよくわかりませんでしたが、いまこの時代になって横と縦の問題の両方を考えなければならないとなったとき、彼はそれこそオープンダイアローグのようなものを漠然と考えていたのではないかと思えなくもない。だから彼の言う「集団性」も、別に「みんなで仲良くやろうぜ！」みたいのとは違う。

千葉　最近僕もガタリを読み返していて、現代的に深読みができるなと思っています。

國分　ドゥルーズがそこに気づいて面白がったということなのでしょうね。ある意味では時代がガタリに追いついてきた。「横断性」にしても、精神分析がずっと扱ってきたような超越の問題をなくしてしまうということではない。とはいっても、「みんなで仲良くやろうぜ」みたいなことでもない。その両方にまたがる斜めの次元を考えなくてはならない、ということかなと。少なくとも、そう読めるし、そう読めば彼の言っていたことがずいぶん理解できる。

ただガタリ自身はそのアイデアを伝えるための手段を持っていなかった。ドゥルーズはドゥルーズで、ガタリのアイデアをある程度まとめ上げるだけで精一杯だったのでしょう。

千葉　僕も『カオスモーズ』（新装版、河出書房新社、二〇一七年）を読み直して、これはすごく具体的な話をしていると思いました。山森裕毅さんの『ジル・ドゥルーズの哲学――超越論的経験論の生成と構造』（人文書院、二〇一三年）の中に収められているガタリ論も参考にしています。ガタリ思想の実践的な意味が、山森さんの整理でようやく見えてきた気がします。

國分　ガタリは単なる水平の人として読まれていたと思う。だから彼の横断性の概念をイメージすることすら難しかった。でもそれが、横並びだけれども内なる声も大事にするオープンダイアローグのような実践から理解できるとしたら、ガタリの更なる理論的可能性を追究することにもつながるし、実践に役立つアイデアをそこに発見できるかもしれない。

新たなる貴族への生成変化

國分　先ほど話題に上がった貴族院の話をもう少ししてみると、これは原理的には立憲主義に連なる話ですね。立憲主義と民主主義は対立する。民主主義が下からの権力だとすれば、立憲主義は上からの原理であって、民主主義的な手続きを踏もうともやってはならないことを決めておくのが立憲主義です。このような、上からの原理と下からの権力のバランスで近代民主制国家は成り立っているのだけれど、いまは上からの部分が大きく揺らいでいるわけです。それを象徴しているのがトランプ的なものかもしれないし、日本で言えば安倍政権的なものかもしれない。制度的にはいくつかのバリエーションがあるでしょうが、ともかく上院や貴族院といったものは、上からの部分に相当するものだと思います。

千葉　守らなければいけない一線を見張る役割ということですね。

國分　民主主義だけでよいならば、たとえば国会で人種差別を肯定する法律を作ることも可能になりますよね。しかしそれは駄目であると憲法で決めておく。

この民主主義と立憲主義とのバランスは国によっても異なるし、答えはないと思います。上からの力をどういう形で担保しておくのかについてはいくつかのやり方があるでしょう。いずれにせよ大切なのは、民主主義は民主主義だけではうまく機能しないだろうということです。

千葉　問題は、そうした規範的審級が何によって支えられるかということ。最上位である憲法にしても、民衆の権力によって支えられている。貴族的なものというのも、あくまでも民衆によって支えられているのだけれど、他方では非民衆的な権威性も持っている。通常、貴族的なものは、歴史とか伝統という言葉で言われるような、昔々から継承されてきた何ものかを帯びています。それが規範に無言の力を与えていたわけです。

それは旧来の脈々たる既得権益だということになりますが、いま問題にしているのは、昔から高貴だった人がやはり必要だという話ではありません。むしろ、新たなる貴族への生成変化をどう考えるかです。貴族的なるものの再発明を旧来の既得権益の継承とは別の形でどうやって考えられるのか、そういう問題なのだと思います。

國分　その通りですね。だとすると、これは非常にドゥルーズ的な問題だと思います。

千葉　貴族になること。

國分　あるいは、超越を超越として想定するのではなく、その発生を問うということです。憲法は確かに民主主義を制限するストッパーの役目を持つけれども、いま千葉さんが言ったようにそれは民衆によって支えられている。言い換えれば、憲法は民衆の総意としてある。これは超越を超越として固定するのではなく、常にその発生において捉える見方であり、常にドゥルーズが取っていた見方です。これこそ、権威主義なき権威を考えるために必要な見方ではないか。

千葉 憲法を生成するような民衆は高貴な民衆なんです。ところが、憲法をどうでもいいものとしてただひたすら功利的な論理で動かしていく連中は、低俗化した民衆です。そこでいかに高貴な民衆が立ち現れ直すようにするかが問題なわけです。

國分 超越的なものがもともと上に存在したと考えると、権威主義になりますよね。

千葉 そうですね。あるいは、素朴な保守主義ですね。

國分 だけど、これは自分たちで作ったものだし、維持してきたものだという形で権威が維持されるとき、それは権威主義なき権威となる。

先ほど言ったような貴族的なものを僕は「徳」だと考えるけれど、それだって上から「やれ」と言われるからやるのでは駄目なわけですね。

千葉 そういう上からの押しつけだと、悪い意味での道徳ですよね。

國分 そう。だからドゥルーズが常に超越的なものの発生を考えていたということと、水平の次元と垂直の次元をいっぺんに考えなければいけないということは地続きの問題だと思う。先ほどはガタリの話をしましたが、ドゥルーズもまた非常に抽象的な形だけれども、縦と横の関係を考えていたのではないでしょうか。

教育はコミュニケーションか

國分　しかし、権威主義なき権威というのは最終的な結論のようなものであって、コミュニケーション過剰社会の中でどうするべきかという問題はまだ残されていますよね。

千葉　コミュニケーションの圧力がネオリベラリズムとの関係で高まっている。剰余価値の一つの形態として、コミュニケーションが消費されているわけです。コミュニケーションの消費的‐生産者として生きることを強いられているという状況があるわけで、これをどうするかと考えたときには、そういう体制をどうにかして破壊しようとか、緩和しようということになるのでしょうか。國分さんはどうお考えになりますか。あるいは、それに対して異議申し立てをしている自称「コミュ障」のような人たちがいるとして、その人たちの要求に対してどのように向き合うべきだと思いますか。

國分　難しい問題ですね。

千葉　われわれは教育をする立場にありますよね。コミュニケーションが苦手な人の話をうまく聞き取ってあげたりするわけで、教育の立場にいる人間はできるかぎりうまくコミュニケーションをすることが職務でしょう。そもそも自分たちがコミュニケーション志向が強い職種に就いている立場において、社会のコミュニケーション圧の今後を考えるというとき、自分の立場との関係からしてもどう考えたらいいのかと悩ましいんです。

國分　コミュニケーション圧が高いというときのコミュニケーションと、教育におけるコミュニケーションは並ぶのでしょうか。そもそも教育というのはコミュニケーションなのか。

千葉　教員に対して自分の考えをうまく伝えられない学生もいるわけで、そういうときにはある程度ケア的な聞き取りをする必要もある。細部に入り込むようなコミュニケーション、相手の見えない背景を先読みしてあげたりするような能力は、僕たちのような職業では結構求められませんか。

國分　それはもちろんあると思うけれども、本質的に教育とはコミュニケーションなのかな。

千葉　まあそう言われれば、それは違うと思いますが……。

國分　違いますよね。

千葉　でもそんなに簡単に「違う」とも言えないご時世になってきたのではないかとも思うわけです。そこで「違う」と言うときには、教育とはある種の非コミュニケーションだということが含意されていると思う。ある種の切断、ここから先は放置しておくとか、過剰に先読みしないといった、手放す振る舞いが必要になる。しかしそのことで、蔑《ないがし》ろにされたと思うような人も出てくるわけでしょう、この過剰な承認主義の現状では。

國分　それもあるけれども、僕がいま考えているのはドゥルーズのことで、『差異と反復』の序論に、優れた教師とは、「私のようにやりなさい」じゃなくて「私と一緒にやりなさい」と言う者だという話がありますよね（上巻、河出文庫、二〇〇七年、七四頁）。「一緒にやりなさい」と言う教師はコミュニケーションをしているわけではないんですよね。それこそある種の集団的主体がそこにできあがっている。

いま話しながらわかってきたんだけれども、コミュニケーションという言葉は独立した主体が対峙《たいじ》する図式をどうしてもイメージさせるんですね。この図式に抗わなければいけないのではないか。コミュニケーションではなくて、一緒に主体形成することが大切だと思うし、教育はそういうものではないか。それこそ「中動態」を通じて考えたかったのもそういうことだなという気がしています。

というのも、コミュニケーションの図式ではすべてが能動と受動の関係で考えられていますよね。僕はそこにこの言葉の限界を感じる。ドゥルーズが言う「一緒にやる」はコミュニケーションではないし、能動でも受動でもない。ある種の中動態的なプロセスが開始することへと誘う言葉だと思います。自分の本に過剰に引き寄せてしまっているかもしれないけれど、いまの世の中はかつてないほどに能動／受動の図式が強くなっている。だから、コミュニケーションという言葉自体を疑わなければいけないのではないかと思います。

僕は教育はコミュニケーションではないという気持ちがやはりありますね。授業をしていても、コミュニケーションをしているわけではないと思う。そうなっているときもあるかもしれませんが、教師と生徒がどちらも乗ってくると、コミュニケーションではなく、一緒に何かをやっているような感じになるでしょう。コミュニケーションは、こちらが伝達する情報を持っていてそれを相手に渡すということだから、それとは違う。

ネオリベ的主体と行為のコミュニズム

千葉　別個の主体間のコミュニケーションというイメージが強いのは、自分の実存の私的所有が非常に強まっている時代だからだと思います。その時代状況からすれば、國分さんが言われた自他がシンクロしていくような世界観は、いささか「侵襲的」だと思う人も出てくるんじゃないか。現代の資本制下に生きている人たちは、ますます、自分を他人によって変えられたくないし、自分の身体は自分の私的所有物、プロパティ（不動産）だから一切の余計な影響を被りたくない、という価値観になっている感じがします。だから、硬い殻のあいだで信号を飛ばし合い、いかにそのテクニックを洗練させるかということになっている。

僕も教育や創造のプロセスは硬い殻から出て中動態な状態に至ることだと思います。が、現代的な意識はそういうことから距離を取り、私有地に閉じこもるような傾向にあるのではないかと懸念している。それをどうしたらいいか。

國分　傾向としては確かにそうですね。それはよくわかります。ただ、そうした侵襲的なプロセスはいろいろな形態でありうるわけでしょう。たとえば千葉さんが『勉強の哲学』で書いたように、本を読むということもそうでしょうし。

千葉　そうです。僕もそういう意味で書いています。自分の身体や言語の純粋な私的所有はできないと言っているわけです。

國分　私的所有は本当に大きな問題で『中動態の世界』でも書きましたが、行為を私的所有物と見なすのが現代の感覚なわけです。行為など私的所有できるわけないのに、意志という概念を使って私的所有物にする。この私有制に反対しなければならないのではないかということです。

千葉　行為のコミュニズム。

國分　そうです。そういうことって、普通にあったと思うんです。

千葉　あったし、いまだってある。

國分　そう。だから行為のコミュニズムを考えたいと思うわけです。

千葉　いまコミュニケーションの問題で苦しむというのはどういうことか……一方で、行為を私的所有するネオリベ的主体としてもうまく振る舞えなければ、他方では行為のコミュニズムに身を投じることもできないというダブルバインドがあるのではないでしょうか。

國分　行為のコミュニズムに身を投じる機会はほとんどないかもしれないですね。「コミュニケーション障害」と呼ばれているものも、実のところ、ネオリベ的主体として殻に閉じこもりつつボールを投げ合うというのが苦手であるということではないか。

千葉　ですが、なぜ殻に閉じこもるのかと言えば、行為のコミュニズムに入れないから閉じこもるのだというロジックもあるのではないでしょうか。行為のコミュニズムに入れば解放されるというのは単純な話だという気がして、その息苦しさもあると思うんです。

國分　確かにそうかもしれない。

千葉　國分さんの教育の話をちょっとカリカチュアライズして言うと、熱い教師と一体になって「一緒に考えようぜ！」みたいなことになる（笑）。それはウザいと思う人もいると思うんです。「私の私秘的なところには、先生、立ち入らないで」という閉じこもりがあって、そうなったとき、自分の殻を守りながら賢く言葉を使って適当にやっていくネオリベ的主体になれるかというと、そうもなれないという苦しさがあるのではないでしょうか。

國分　なるほど、それは本当に僕も気をつけなきゃいけない（笑）。その指摘は本当に重要だね。そもそもネオリベが出てきた一因は、そのウザさに対する反発でしたよね。そのことは忘れてはいけないですね。

するとと行為のコミュニズムは大切だが、それだけではダメだということですね。「心の闇」を作り上げつつ、行為のコミュニズムへの参加の機会を保証するみたいなイメージになるのか……。ここは何か言葉が必要だし、引き続き考えないといけない。

原理なき判断を再発明する

千葉　ところで、さらに俗っぽい話ですが、営業トークがうまくできないような人が世の中で不利になったりすることがありますよね。たとえそうでも不利にならないような社会にすべきだという意見はありうるし、たぶんあると思う。それについてはどう思いますか。

國分　エビデンス主義の話ともつながるけれど、ある一定の貧相な基準に合致する人物しか活躍できないような社会はよくないと思います。僕の知る業界だと、たとえば大学の人事評価や新任人事のやり方にもエビデンス主義が入ってきていて、五つぐらいの評価枠を作って点数をつけるというようなことが行われてきている。それによって失われるものは非常に大きいと思います。

ただ、繰り返しになるけど、この種のエビデンス主義は、ある意味で民主主義の徹底なんですね。誰にでも理解できる基準で物事を決めるということですから。だから簡単には否定できないのだけれども、何でもかんでも、わかりやすい公正な原理で進めればいいというわけではないでしょう。

千葉　なるほど、コミュニケーション規範性にうまく乗るような営業トークも、一定のパラメータでしか評価しないエビデンス主義も、画一化という大きな流れの中にある。まあ、それらしいエビデンスを根拠資料にして、ある典型的なグルーヴでプレゼンする営業マンというのが企業にも大学にも溢れていますからね（笑）。

　ところで、公正さの問題ですが、制度的な公正さが必ずしも実質的な公正さにつながるとは限らない。手続きを重視する倫理とは、結局のところカント的な法のあり方みたいなもので、単に形式のトートロジカルな正しさであって、それはほとんどサディスティックな帰結を――それこそ「カントとサド」的に――導く可能性があるわけですよね。ケース・バイ・ケースの、特異的な事象を無視することになるでしょう。

國分　そういう制度的な公正さを担保しているだけでは駄目だと言うべきですね。当然そうすると、「じゃあそこにどういう原理があるんだよ」というツッコミが入るかもしれないけど、原理はない。

千葉　ケース・バイ・ケースですからね。あるいはその原理は何かと言えば、それは貴族的なものだと。貴族的判断。

國分　たとえば人事を決めるときに、「この人はいい」という判断は絶対に大切です。それなしで点数だけで決めていると必ず失敗する。確かにこれを悪用して、自分のための利益誘導を行ってきた輩は数限りなくいたのだろう。しかし、物事の判断基準をそういった悪い底辺に合わせてしまったら、とんでもないことになる。

千葉　そうですね。ちょっとトリッキーな言い方をすると、原理なき判断の再発明が必要だという感じですね。原理なき判断というのは、既得権益的な押しつけでもあったわけですが、それがいったん崩壊した後で、あらためて原理なき判断というものを発明する必要がある。ポスト・デモクラシーの問題として。特異性に反応する、原理なき判断。

國分　そう思う。

千葉　そしてそれが貴族への生成変化であると。特異性に反応する、貴族的判断。

人倫、礼、逆転された保守主義

國分　最近、イギリスではハード・レフトのジェレミー・コービン率いる労働党が選挙で大躍進しました。どうして勝ったのかというのをジジェクが分析していて、それが面白かったんです。六〇年代には左派のほうが乱暴で、右派が上品だった。いまは完全に入れ替わっていて、右派のほうが下品になっている。他方、左派のほうはというと、ツイッター・カルチャーに支配されつつあって、言葉の一部を取り上げて脊髄反射的にポリティカリー・コレクト（PC）を基準にして攻撃を加えるばかりで、少しも議論を組み立てられない。コービンが受け入れられたのはこのどうしようもない対立の中に入らず、ディーセンシーを保ちながら選挙戦を戦ったからだというんです。

ジジェクはそこで、ヘーゲルの言う「人倫」に言及するんですね。人倫とは、はっきりと言うべきことや口に出してはいけないことを規定している暗黙のルールやマナーのことです。実はこういうものこそが社会において革命的な力を持つ、と。コービンは穏やかに見えるかもしれないが、人倫を体現する彼のような人物こそ、実は革命的な起爆力を持っている。これはすごく面白いなと思いました（Slavoj Zizek, 'The secret to Corbyn's success was rejecting PC culture as much as he rejected rabble-rousing populism', Independent, Monday 12 June）。

ああいったディーセントな左派のあり方というのは、いまの政治のあり方としてパンチ力がないような感じがする。でも実はそうではない。人倫に依拠しているということが実は革命的な力を持ちうるし、人々に訴えかけるのだという一つの時代診断ですね。日本の分析みたいな感じがする。問題は共通しているのだなと思いました。これはコミュニケーション過剰社会における一つの処方箋になるのではないか。

千葉　右派がそのように過剰に下品になっている状況であれば、左派も同じく下品に対抗するしかないという開き直りもあるようですが、短期的にそうせざるをえない場合があるにしても、長期的には人倫なんだと思います、右にしても左にしてもです。

國分　今日は貴族的なものの話などをしましたが、ある意味では僕らはヘーゲル的な人倫みたいなもののことを言っていたのかもしれない。そういうものが持っている力を再評価するというのが課題なのかという気がしています。僕は徳や貴族的なものという言い方しかしなかったのですが、ヘーゲル的な人倫こそが実は社会を変えていくと言ってもいいのかもしれない。

いまの右派のポピュリズム的言説、「ネトウヨ」的言説というのは、人倫に対するガキの反抗のようなものです。それに対し、左派もＰＣ的な言葉狩りのようなことばかりしている。そのどちらにも与《くみ》しない人倫を大切にする主張のほうが、最終的に社会に対してインパクトを持つ。これは今日ずっと議論してきた貴族的なものの話にもつながると思います。

千葉　僕が好む言い方では、礼ですね。礼の概念に新しい息を吹き込む。過去から「礼はこうだった」というのに従わせるのではなく、可塑的なものとしての礼です。礼の発生ですね。礼の発生プロセスのただなかを生きること。それはいかに可能かという問いです。

國分　新たな人倫の発明であり、礼の発明であり……。

千葉　あるいは、貴族的なものの発明でもあるということです。

國分　しかもそれは社会を変革する力になる。

千葉　そうですね。

國分　これをごく普通の保守主義だというふうに回収されないように訴えるにはどうしたらいいでしょうね。

千葉　今回のような議論ならば、回収されないと思いますよ。

　ところで、思いつきで言いますが、通常、保守主義は不合理なものに立脚するわけですよね。そしてその不合理なものははるかに遠い過去に位置づけられる。でも、いまわれわれが考えている「逆転された保守主義」みたいなものは、不合理なものをむしろ未来に置くのではないでしょうか。過去から不合理に継承される貴族制ではなく、未来の不合理から召命される貴族へ。

國分　それをいろいろ言い換えればいいと思うんですよね、「人倫」でも何でも。

　とにかく今日の僕たちの話は、コミュニケーション過剰社会の中で溢れ出ているポピュリズム的なものとどう対峙するかというテーマになりましたね。

千葉　そういうことですよね。コミュニケーション・ポピュリズムに対して別のコミュニケーションをどう発明するかという話になったと思います。

第四章　情動の時代のポピュリズム

対談日　二〇一八年一二月二一日

人間はもはや言語によって規定されていない

國分　いままで千葉君とは重要な局面で何度か対談をしてきましたね。ただ僕としては、あまり頻繁に対談しているという感覚はないんです。

千葉　確かにそうですね。活字になった対談は数えるほどしかない。

國分　『キャプテン翼』の翼君と岬君のように、たまにゴールデンコンビが結成される（笑）。そういうイメージなんですよ。

千葉　個人的にはよく話してるんですけどね。

國分　よく話しているけど、世間的にはたまにしか現れないんです。そういうレアコンビですが、二人で話してきたことを世間的に訴えたほうがいい状況になってきているとも感じているんです。

　じゃあ、何をテーマに据えるかと考えたとき、やっぱり「言語」についてだろうと。振り返ってみると、僕は『中動態の世界』で思いきり言語を扱い、千葉君の『勉強の哲学』も、最初の章は言語偏重の人間になることを主張している。

千葉　どちらも言語論ですよね。

國分　そう。だから、僕らがなんといってもこだわってきたのは言語だった。その言語が置かれている現在状況を、まずは確認しないといけない。というのも、言語は本当に大きな変化を被っていて、たぶん二一世紀的な言語状況は、すでにほぼ姿を現している感じがします。それは二〇世紀的な、僕らが九〇年代に勉強を始めた頃とは大きく変わっている。

千葉　そうですね。二〇世紀の思想が新たな段階に入るときに、「言語論的転回」と呼ばれるように、言語を意識することがまずあったわけですよね。だから、二〇世紀の思想において言語意識がベースにあることは、まず確認すべきことでしょう。だとすると、二一世紀にもし言語の弱体化が起きているんだとすると、それは二〇世紀的な人文学のモデルとは違うものに移ろうとしていることになります。

二〇世紀においては何より言語の次元が大事だった。文系の人間にとっての言語のポジションは、理系の人間にとっての数学に相当するようなものだったわけです。

國分　確かに人文学が言語に依拠できなくなったら、それは物理学が数学を使えないみたいなものかもしれない。

千葉　一方で、いまわれわれは、「言語」というものをかなり抽象的なレベルで総体として取り扱う議論を始めていますよね。でもたぶん一般の人は、言語をそういう水準で捉えることにピンと来ないかもしれない。普通、言語と言ったら、英語や日本語など特定の国語を想定するでしょう。だから、そもそも言語という存在自体に関わる問いを立てること自体が日常においてはレアなことだと思うんですよね。

國分　なるほどね。千葉君の問題提起を少し展開しましょう。これは前にも引いている例ですが、アガンベンの『身体の使用』にすごく面白いくだりがあるんです。アガンベンによれば、近代の哲学は基本的にカント哲学に基づいて超越論的主体としての人間を研究してきた。それに対しニーチェやベンヤミンやフーコーやバンヴェニストといった哲学者たちは、そこからの脱出を試み、人間を規定する「歴史的ア・プリオリ」を言語に見いだすことでその試みを実現しようとした。

つまり人間は言語によって規定されている——こういう一九世紀末ぐらいから始まっていた二〇世紀的な哲学は、超越論的な主体ではなくて、話す人間、言語を扱う人間を扱っていた。これは言語論的転回の起源みたいなものですね。

千葉　多少補足説明をすれば、カントの場合、人間の思考はそもそもいくつかの抽象的なルールによって条件づけられていると考える。それが一九世紀末あたりから、人間の思考や振る舞いを条件づけているのは、歴史的に形成された言語だと捉えるようになったということですね。

國分　そうです。「歴史的ア・プリオリ」というのは、フーコーの用いた表現です。ア・プリオリなのに歴史的というのは矛盾しているんですが、でも、実際にわれわれの思考を遡っていくと、歴史的に規定された前提みたいなものがある。それを言語に求めるのがニーチェ以降の哲学の基本になっていったというわけです。

問題はその次で、アガンベンはこの哲学の試みは今日、完結点に到達したと言っているんです。少し引用すると「しかしまた変化してしまったのは、言語活動はもはや、思考されないままにとどまりながら、言葉を話す人間たちの歴史的可能性を規定し条件づけるような、ひとつの歴史的ア・プリオリとしては機能していないということである」(『身体の使用』一九二頁)と。

このように、人間を規定するものとしての言語は、もう終わってしまった。人間はもはや言語によって規定されていないとアガンベンは診断しているわけですね。

千葉　歴史的ア・プリオリとは、歴史性を持っているにもかかわらず、絶対的に先行するものであるという二重性を表現しているわけだから、まさに言語そのものを形容するための用語じゃないかと思うんです。

動物と人間を言語で分けるのはよくある考え方です。それで、いったい人間の言語能力、あるいは人間の言語能力を可能にするような認知能力が進化的にどこから始まったかというと、はっきりわからないわけですよね。だがそれは歴史的に始まった。でも、人間が存在する以上、絶対的な先行的条件として言語がある。とすると、アガンベンは、人間が他の存在者から区別されるという、その区別の仕方自体が終わったということを言っていることになりませんか。

國分　そうです。ハッキリ言えば「動物化」。

千葉　動物と進化的に連続的なものとしての人間、ということになりますね。

國分　二〇世紀には人間が言語に規定された存在であるというのは哲学的な前提だった。言語は人間がそこから抜け出せないくびきとすら考えられていた。けれども、現代ではむしろ言語のほうが退却してそのくびきから解放されてしまった感がある。
　千葉君がさきほど、言語の総体を抽象的に問題化することは日常的にはあまりないことではないかと指摘したけれども、それが現代ではなおいっそう行われがたくなっているのかもしれない。哲学、思想ですら、そういうことができなくなっているわけだから。

直接的な情動喚起の時代

千葉　いまやもう、道具的な言語観でしか言語を捉えられなくなってきているんですよ。
國分　フーコーの『言葉と物』（新装版、新潮社、二〇二〇年）だと、一七世紀の古典主義時代のエピステーメーでは、言語は透明な媒体として捉えられていたので、言語そのものの存在が見えていなかった。それが一九世紀に入ると、ヘルダーリンの詩などが参照されながら、ゴツゴツとした岩のような物質としての言語が発見されたという話になっていきますよね。
　そこから考えると、現代の言語は一七世紀に戻っているようにも見える。一七世紀と違っているのは、コミュニケーションが必ずしも言語に依拠せず、非常に情動的なものになっているという点かもしれない。

千葉　情動的表現が前面に出てくると、解釈が必要な言語は邪魔なわけですよね。もっと直接に情動を表現できる絵文字、エモティコンが幅を利かすようになる。エモティコンは、エモーション（emotion）とアイコン（icon）からなる造語で、表情や感情を表す絵文字のことです。この言葉が示すように、現代では言語の弱まりとともに、イメージを使った、直接的な情動喚起の時代へシフトしてきていると思うんです。

國分　ＬＩＮＥやWhatsAppでわかったのは、日常のコミュニケーションにはスタンプや絵文字などのエモティコンだけで十分だったということでしょう。それは尻尾を振って喜びを表現するタイプのコミュニケーションに近づいている。そして、以前も話した通り、それと並行してメタファーや無意識の弱体化が起こっている。

千葉　そもそも言語がしち面倒くさい存在であるのは、それが直接的な表現ではなくて、常に間接的で迂遠なものであるからですよね。言葉が何かを指すときには、また別の言葉が惹起されて、意味作用が少しずれていったりする。直接現実に関わるのではなくて、あいだに挟まる衝立のようなものとして言語がある。つまり言語というのは、直接的満足の延期であり、もっと簡単に言うと我慢なんですよ。その直接的満足の延期が、メタファーの存在に通じている。何か言い足りていない、真理に到達していないという不満が言語活動にはあって、その不満の周りでさまざまな言葉をああでもない、こうでもないと展開することによって、豊かな言語態が成立するわけです。

ところが、そういう不満をめぐって言葉が繁殖することがなくなっている。それはなぜかといったら、一つは直接的満足がどんどん可能になってしまうからだと思います。これはややイージーな説ではあるけれど、現代社会では我慢を強いられる状況が減ってきていて、即座に快楽が得られるようになっている。つまり言葉を連ねることによって、直接的満足を我慢することをしなくなっているわけです。

國分　ドゥルーズがフーコーに宛てた手紙で欲望と快楽を対立させていますね。欲望というのは何かと何かのあいだにいることです。満たされていない状態と満たされている状態のあいだにいて、まさしく我慢しながら頑張っている状態。それに対し、快楽とは終着点であり、どこか死とも結びついている。フーコーは快楽に関心があるのだろうが、自分は欲望のほうに関心があるというのがあの手紙で言われていたことで、そこには異なる二つの哲学の方向性が示されていた（ジル・ドゥルーズ、「欲望と快楽」、『狂人の二つの体制 1975-1982』、河出書房新社、二〇〇四年）。

でも、現代に見いだされるのは、ずっと終着点に居続けているような状態ではないでしょうか。それが技術的に可能になってしまっている。

千葉　たとえば純粋合理的に、自分の体型管理のために必要なグラムレベルの栄養素を、すぐにコンビニで調達して摂ることができる。そこに、何の我慢もありません。これは恐るべきことだと思いますよね、確かに便利なんですが。

國分　フロイト的に言い換えれば、我慢というのは現実原則ですね。現実原則というのは快感原則の実現の延期だから。人間は快楽原則だけでは現実に対応しきれないから、いやいやながらも現実原理を受け入れていくというのがフロイトの前提だったし、そこでは両者の相克の中で人間が成長することも当然視されていた。これが当たり前でなくなったということですよね。

民主化のパラドックス

千葉　不満と満足の振り子による人間のビルドゥングスロマンが破綻しているんですね。それと言語の終わりは基本的にはイコールです。コジェーヴならば、歴史以後の人間はカエルが交尾するときのようにみんなで歌い踊り、とか言うわけでしょう。そういう状況が現実になっている。

國分　素朴な感想を言えば、我慢がなければ何事も成し遂げられないだろうという考えが僕の中には強くありますね。

千葉　でも、そもそも我慢することによって何事かを成し遂げるということ自体が、人間の営みの中に英雄性や特権性を持ち込もうとする発想であって、反民主的なんですよ。今日の民主主義においては、努力によって弁証法的苦難を乗り越えて出現するようなヒーローを抹消することこそが民主主義になるわけです。

國分　千葉君が使った「英雄性」という言葉でアレントのある概念を思い出したんだけど、彼女の考える政治というのは言語の使い方に卓越した人間が勝つ一種のゲームですね。だからそこには残酷な側面がある。けれども、他方で、このゲームを通じて平均的なレベルがアップするという側面もある。

そのことを説明するためにアレントは「平等」と「同等」を区別しています（ハンナ・アレント、『活動的生』、みすず書房、五一頁）。平等は画一化に基づいている。それに対して、同等というのは、政治参加の権利を行使するのにふさわしいという目標と同等になることを意味する。この同等の観念が決定的に失われてしまっているのではないか。

千葉　ただ、同等になるというモチベーションを失ってしまったら、もう文化って成り立たなくなるわけですよね。

國分　僕もそう思う。その点でインターネットは象徴的です。インターネットには当初、知の決定的な民主化が期待された。誰でもどんな情報にもアクセスできるし、誰でもどんな情報でも発信できるという希望が語られていたし、その可能性はいまも大事だとは思います。

けれども、誰でもアクセスできて、誰でも容易に発信できるというインターネットの条件が、何らの選別も行われていない情報の氾濫をもたらしているというのが、現段階で起こっていることでしょう。しかもそれが人々の憎しみをかきたてる方向に猛スピードで進んでいる。フェイクニュースやヘイトスピーチのことです。これは民主化のパラドックスと言うほかないと思う。

千葉　國分さんは、そのパラドックスをどう考えているんですか。

國分　ハッキリしたことが言えなくて情けないんだけど、そこはアンビバレントですね。民主主義は大切だと思っているけれども、民主化が必ず堕落するという気持ちも当然あります。だから民主主義を何とか維持するための一つのヒントとして、以前の対談では「貴族的なもの」という概念を出した。これは別に僕のオリジナルな考えではなくて、アレントが『人間の条件』の序論で言っていることです。でも、そういう貴族的なものをブルドーザーのように駆逐するのがいまのメディア環境であり、その相関項として情動的コミュニケーションの全面化があるんだとしたら、政治の観点からも強い懸念をもたざるを得ない。

左派ポピュリズムへの疑問符

千葉　二〇世紀の言語論的転回を経て、二一世紀は情動的転回ということが言われています。まだその理論は十分に固まっていないけれども、人間は必ずしも理性で統御されるものではなくて、いままで下に見ていた情動によってモチベートされる部分が大変大きいことがわかってきた。ならば、文化生産のレベルでも、あるいは政治のレベルでも、情動をもっと重視しなければいけない、という方向の議論が活発になっています。

　たとえば政治哲学でも、ポピュリズムは基本的に右派的なものとして批判されてきたけれど、右派に対抗するために、より情動的な抵抗を肯定する左派ポピュリズムをどう作っていくかという議論が出てきている。

　僕自身は、頑固に「情動を理性で支配すべき」とは言いませんが、いかに情動と言語のエコノミーを適切に作っていくかが大事だと思います。情動的なものに力点を置きすぎると、言語の弱体化を加速することになってしまう。だから、左派的ポピュリズムについてもいささか疑問符を持っています。

國分　ポピュリズムという論点については、二つ考えたことがあります。

　一つは、いまのヨーロッパやアメリカの状況を見ると、「ポピュリズム」と呼ばれている政治現象には一片の民主主義的な真理があるのだろうということです。たとえばブレグジットを支持した人たちがみな反移民のレイシストかというと、全然そうではない。労働党支持の中間層、あるいはもっと低所得の労働者が、自分たちは民主主義の世の中を生きているはずなのに政治的な決定権をブリュッセルにいるＥＵ官僚たちが握っているのはおかしいと声を上げ、ＥＵ離脱に賛成した。

アメリカについてもやはり似たことが言えて、ウォールストリートで何もかもが決められていておかしいという実感がある。それに乗っかる形でトランプが出てきたわけです。もちろんトランプの持つ差別主義は許してはならないけれども、「自分たちが政治的決定に関われないのはおかしいじゃないか」という実感にはやはり一片の民主主義的な真理があると言わねばならない。だから単にトランプを批判して民主主義を擁護した気になっている人を見ると、強い違和感を覚えます。

とはいっても、この実感を単に肯定するわけにもいかないので、千葉君が言う情動と言語のエコノミーをうまく作り上げなければならない。でも、どうしたらいいだろうか。

もう一つはいま千葉君が言及した左派ポピュリズムの問題です。日本でもさまざまな文献が揃いつつあり、この言葉を目にする場面も多くなってきましたが、これについては既に大竹弘二さんの『公開性の根源――秘密政治の系譜学』（太田出版、二〇一八年）が決定的な議論をしていると思います。この本の補論「統治vsポピュリズム？」の中で、大竹さんはラディカル・デモクラシーのポピュリズム戦略に疑問符を突きつけているんですね。

大竹さんの議論の要点はこうです。ラディカル・デモクラシーのポピュリズム戦略は、経済的な階級闘争ではなく、さまざまな社会集団を統一的に結びつけるヘゲモニー闘争として展開される。経済的な階級闘争を社会の基底にある最終審級として立てることはもはやできないからです。そうすると、何がいま争点になるべきかは、ヘゲモニー闘争を通じて政治的に決定されることになる。つまり、左派ポピュリズムでは、その都度、人々をまとめ上げる論点を発見し、その政治的なやりくりを通して動員を行っていくことになる。これでは個々の論点は何でもありになってしまう。大竹さんはそれを「空虚なシニフィアン」と言って批判しています。

千葉 なるほど。争点はなんだっていい。反基礎付け主義も極まれり、ですよね。要するに、何かを気に入らない人たちが、気に入らないと言って連帯すればOKということでしょう。たとえば「安倍辞めろ」というシニフィアンで大同団結できるなら、もうそれでいいと。

國分 何らかの基礎や思想、理念、理想というものがなくなって、ある問題が偶然的にみんなをまとめ上げるものとして措定される。はたして、それでいいのかどうか。僕自身は「安倍辞めろ」一点張りでいいとは思えない。

千葉 別に「安倍辞めろ」と言ったっていいわけですが、それだけを燃料にしてファナティックになってしまうのはまずいでしょう。

國分 それはもう普通に起こっていることですよね。ただ、政治学者が理論的によしとするのは問題だろうと。

千葉 起こっていることだから、理論や方法ではないですよね。

國分 そう、むしろ現象です。あるいは社会の表情と言ってもいい。社会はいまファナティックな表情をしている。そのとき、どうやって情動と言語の間のエコノミーをうまく作るかを考えるのが学者の役割だと思うんだけど。

物語を失った憲法論

千葉　言語は直接的情動に対して距離を取る。だから、ホットになっている状況に対して、クールな距離の取り方をもたらすのが言語的介入です。でも、そういうことを言うと、「冷笑系」とか呼ばれて批判されるわけです。

國分　以前、新聞に憲法についての文章を寄稿したことがあって、そこでこんな話をしました（「言葉が失墜、「物語」なき憲法論」、『朝日新聞』、二〇一八年三月二日）。奥平康弘や樋口陽一のような戦後の代表的な憲法学者の文章を読むと、どこか文学的なんですね。おそらく戦後日本の憲法が掲げた平和主義とか個人主義といった価値は、彼らの文学的な言葉が紡ぎ出す物語を背景にして理解されていったのだと思います。

　もちろん、平和主義について言えば、「あんな戦争はもう絶対嫌だ」という情動的な感覚もあった。けれども情動的な感覚だけでは理解には至らない。だからこそ憲法学者たちは専門的・技術的な論議だけに甘んじず、情動に拮抗《きっこう》するような平和主義の物語を書こうとしてきたし、それはある程度成功していた。

ところがいまや、そういう物語がまったく理解されなくなってきている。それを僕は「言葉の失墜」と呼びました。同時に戦争体験者が少なくなることで、物語をサポートしていた情動的な反応も薄れていった。

それを好機と捉えた改憲派はどうしたかというと、「世界には危険な連中がいるから軍備が必要」と情動に訴えたわけです。では、これに対して護憲派がどうしたかというと、新しく物語を紡ぎ出すのではなくて、「九条があったから戦争に巻き込まれなかった」とこれまた情動に訴える主張で対抗しようとしたんですね。僕は護憲派が言っていることは事実だろうと思う。けれども、これでは自分たちだけが助かろうとしているというふうにも聞こえてしまう。

結局、憲法に関しても情動的な主張ばかりが衝突して、物語を通じて理解を促す言語的な介入が難しくなっている。だからこそ、言語で構築された文学的な物語によって憲法の掲げる価値が理解されてきた側面にもう一度目を向けるべきではないか。

言語を玩具的に使用する

千葉　言語は状況に対する距離そのものですから、言語が失墜するということは距離がなくなることです。そうすると敵対する関係の間の距離もなくなるから、もう直接衝突になっていくわけですよね。

　別の言い方をすれば、言語の物質性が持つ、直接衝突を避けるための緩衝材という側面が浮かび上がってきます。この緩衝材という社会的意義が、文学あるいは芸術の存在意義と結びついてくるんじゃないですかね。

　文学や芸術は、言語を道具的に直接使うのではなく、言語を言語として取り扱います。そういうメタ言語的な取り扱いが日常の中にあるという状況が、直接情動的な方向に社会が向かわないための防波堤になる。

國分　ウィリアム・モリスが、日常の中には芸術が必要だと言っているのに近い感じがしますね。工業製品のカップではなくて、名も知らない職人が作ったカップを使い、それを愛でながら生きる。日常生活を飾りながら生きる。言語も同じように考えるならば、それは言語を遊ぶということだよね。

千葉　僕は『勉強の哲学』の中で、言語の玩具的使用ということを言っています。勉強するとは、いままでの自分の生活を規定していた物の考え方の枠組みの外に出ることです。そして、いままでの生活は特定の言語の使用の仕方と結びついているので、その外に出ることは言語の使い方を変えることになるわけですね。

　ただそのときに、単にある使い方Aから使い方Bに移るだけだと、別の生活に移ったにすぎない。僕があの本で「深い勉強」と言っているのは、別の使用法に移るだけではなくて、自分が属している環境の外部に立つようにすることです。そのためには、言葉を単に道具的に使うのではなくて、言葉それ自体を意識するようにならなければなりません。

そこでキーになるのが、玩具的な言葉の使い方です。通常われわれが「塩を取ってくれ」とか「君が嫌いだ」と言う場合、言葉を、直接に何か出来事を引き起こすパワーを持つものとして捉えているけれども、そういう状況から浮いた視点で物事を見ると、言葉は、ただ言ってるだけのものになるんですね。言ってるだけの言葉は、価値中立化されているから議論というものが成り立つ。ちょっと言葉は悪いですけれども、そうやって言ってるだけの言語を獲得することこそが深い勉強であり、言葉を言葉として操作することは、言葉遊びとしての文学にスペクトラムでつながっているという話をしたわけです。

遊びとしての無目的性の政治

國分　遊びという観点は非常に面白いし重要だと思います。この前、五味太郎さんと対談したときの話とつながりそうなので話してみますね。あの対談で僕は、かこさとし、長新太、五味太郎の三人について、こういう感想を述べたんです。

かこさとしの絵本って僕は大好きなんですけど、教訓話が基本なんですね。意味とメッセージを伝えようとしていて、それがすばらしい芸術作品になっている。その対極に、長新太のナンセンス絵本がある。いきなりトンカツが飛んでくるとか。
　この二人と比べた時、五味太郎の絵本ってメッセージでもナンセンスでもない。まさしく、言葉を遊んでいるんです。たとえば五味さんが、五〇音表のどの文字にも「る」を付けると、全部動詞になるんだよと言ってね（笑）。

千葉　「かる」「きる」「くる」……ああ、面白いなあ、それ。

國分　面白いでしょ。それだけで遊んでいる。あと、五味さんって、「「ねこ」ってなんか猫っぽくないよね」とか言い出すんです。「ねこ」という言葉はあんまり猫と合ってないと。これはナンセンスでもセンスでもない、言葉そのものと戯れているから出てくる感覚なのかなと思うんです。

千葉　僕の言い方でいうと、ナンセンスの極みがわかっているから、ナンセンスなものとして完全にバラバラになってしまった言語から、意味形成にどう向かっていくかを問題にしている感じがします。
　あるいは逆に言えば、通常の言語が解体されていく途中を問題にしている。文学、特に詩はそこを主戦場にしているんだと思いますよ。

國分　なるほど。「途中」というのはいいキーワードだね。さきほど紹介した大竹さんの『公開性の根源』も結論部分ではベンヤミンを使いながら、無目的性の政治、目的から解放された政治を「遊び」という言葉で主題化しています。

政治は真剣にやらなければいけないというのが、決断を重視するカール・シュミットの思想ですね。決断は一度やってしまったら取り返しがつかない。それに対して遊びは、何回も何回も繰り返すことができる。繰り返しながら、法や言葉をもともとあった文脈から引き剝がすということが行われる。

無目的性の反対語は合目的性です。合目的な政治とは、何らかの目的解決のための政治、ソリューションの政治のことです。ソリューションの政治は必ず犠牲を伴います。「これはできるけれど、これはできないよ」「あなたたちのことは考えられない」という局面が必ず出てくる。

遊びとしての無目的性の政治というのは、もちろん極めて誤解されやすいし、ふざけているのかとも思われかねない。けれども大竹さんがハッキリと述べているように、いま政治の目的とされている治安の維持、防衛、経済成長、国民の福祉といったものは、別に政治に固有のものではない。それらは行政やガバナンスに委ねることもできるわけです。

だとすると、政治に固有なものとは何なのか。ここでもアレントを参考にしたいんだけど、アレントは政治を自由の実現そのものとして捉えていて、それをダンスなどのパフォーマンスアートの比喩で語りました。最終生産物を目的とする彫刻のような芸術ではなくて、常に「途中」にあるパフォーマンス芸術のメタファーで、自由の実現としての政治を捉えようとした。これは、目的から解放された遊びとしての政治と言ってもよいのではないか。政治参加が常に自由の実現の「途中」にある、そういう政治ですね。

真剣勝負としての合目的性の政治が目的への自己犠牲的奉仕を求めるものだとしたら、遊びとしての無目的性の政治は自由の実現が何らかの充実感をもたらす、そういう政治じゃないかと思う。やはり遊びなんだから、楽しさというか充実感がある。それをアレントの言葉を借りて固く言い換えれば、自由の実現ということになるのではないか。

この遊びについての議論をさらに展開してみます。実は大竹さんは遊びを論じる中で中動態の概念を導入しているんです。僕が言葉を足して説明すると、遊びというのは、主体が客体を操作する行為ではなく、主体と客体が関わりながら、どちらが主体でどちらが客体かわからなくなってしまうようなプロセスですね。

遊んでいるときには主体と客体が区別できなくなる。この点に注目すると、遊びという主題は、中動態を通じて、アガンベンが『身体の使用』で論じた「使用」の概念につながります。アガンベンは古代ギリシア語で「使う」を意味するクレースタイという動詞が中動態で活用することにヒントを得て、「使用」と「支配」を区別することを提案しました。

支配というのは主体が客体を自らの思うがままにすることですね。能動と受動の対立に基づいた、主語による目的語の支配です。それに対し、使用では能動と受動、主語と目的語、主体と客体という対立が無効になる。というのも、人は何かを使うときには使われる物に自らを合わせないといけないからです。使用においては、使用する者が使用される物に合わせて生成変化しなければならない。たとえば自転車を使う、つまり自転車に乗るためには、自分が〈自転車を使用する者〉に変化しないといけない。

千葉　要するに、使うというのはサイボーグになるということですよね。

國分　そう。使用においては、使う者の側に変化、あるいは新しい主体化が起こるということです。そして遊びが中動態的なものであるとしたら、遊びとしての政治も、参加することで自由を実現する主体へと生成変化していくという充実感を伴う政治ではなかろうか。

　これは自分の経験にも根ざしているんです。地元の東京都小平市で道路建設に関わる住民投票運動をしていた時、いつも負けているし、追いやられているし、苦しいことばかりなんだけど、どこか面白いって感覚があったんですね。キツいけど充実感があったというか。ただ、その面白さを口に出して言っていいのかなって迷いがあった。一度だけ、シンポジウムの準備をしているときに一緒に運動をしている人に言ったことがあるんですよね。「苦労してこういうイベントを実現するのはすごく楽しいですね。これがあのひどい道路建設計画とは無関係だったらいいのに」って。

千葉　なぜ、面白さを口に出していいか迷っていたんですか。

國分　そこは難しいところで、政治運動自体が自己目的化するというのは昔からよく言われていたことだったし、とにかく真剣にやっているという姿を見せなければという気持ちもあったと思う。この場合、「真剣」というのはまさしく合目的性のことで、何か目的があって、手段として住民投票運動をやっているという意味ですね。運動自体が目的になってはいけない、何が目的かを常にハッキリさせておかねばならないと、絶えず自分に言い聞かせていた。

　でも、運動に関わっていたときには、目的も手段も関係ない、純粋な遊びとしての楽しみが確かにあったと思うんだ。ただ、それをそのまま口にすれば絶対に誤解されたと思う。だから、住民投票運動のことを書いた『来るべき民主主義——小平市都道３２８号線と近代政治哲学の諸問題』（幻冬舎新書、二〇一三年）でも、運動が批判や否定に留まらず肯定的なビジョンを持つことが重要だとは言ったけれども、自分自身が感じていた楽しさとか充実感のことは書かなかったし、書けなかった。少し時間が経って、距離が取れるようになったから、素直に自分が感じていた遊びとしての政治の持つ可能性を語れるようになったんだと思う。それは僕に新しい主体化をもたらしてくれた力でした。

なぜレイシズムに引っ張られるのか

千葉　政治活動は、主体化にとって非常に大きな場だということですよね。ただ、政治活動以外でも、アーティストが芸術活動で主体化するように、人は何かに熱中することで主体化される。そうするとポイントは、目的志向的な活動は何か主体化を取りこぼす面があるということですよね。

　目的志向的に動いていると、何かが疎外される。つまり、目的志向活動の外部にこそ、主体化があるわけです。さらに言うと、この主体化という言葉は、主権化とも言い換えられると思うんです。國分さんはさきほど、目的志向的に活動すると、ある方向性に一致する人々は喜ぶけど、犠牲が出ると言いました。つまり、そこで振り分けが起こる。そこで取りこぼされた人たちは、自分たちの居場所がないという不満を持ってしまう。そうではないようにするためには、いかに主体化あるいは主権化の場を、目的の外部で確保するかが重要になるわけですよね。

國分　その場合、「主権化」というのはどういう意味だろう？

千葉　何が言いたいかと言うと、主権化を、いま言ったような意味での主体化というものに定義変更すべきだということです。いままで主権という言葉は、目的志向的な行動の強者の側に割り当てられるような響きを持っていましたから。

國分　主権というのは最終的な決定権のことだからね。いまの千葉さんの定義変更は大竹さんの議論ともつながるように思う。合目的ではない政治は、いままで決して政治的な主体とみなされなかった無力な者たちも包摂《ほうせつ》するような政治であると大竹さんは言っていて、非人間的なものや事物の政治の構想が語られている。

千葉　たとえばネグリが議論しているようなある種の開かれた主権性というものも、いま言った主体化の問題につながっていて、まさに無力な者たちがいかに主体化するかという話だと思います。さらにひねった展開をすると、トランプ支持者やブレグジット支持者の議論ともつながりますよね。

あの人たちは、自分たちがある目的志向性から排除されて、主体化できないことを不満に思っていて、主体化させてくれと言ってるわけですよ。そのときに与えられるソリューションが、排他的なレイシズムと結びついてしまうことに今日の問題がある。だから、そうではない仕方で、その主体化あるいは主権化の要請にどう応えるかということが、政治の次の課題として問題になっている。

國分　非常に面白いですね。主権を求める人たちの声がなぜレイシズムに引っ張られてしまうかというと、主体化のモデルが敵に基づいているからだろうと思うんです。

千葉　そうです、そうです。

國分　敵をやっつけることで主体化するというモデルしかないから、主体化への要求が敵を打ち立てるレイシズムに結びついてしまう。すると、いま議論しているような目的を持たない遊びとしての政治は、アドホックには敵はあるかもしれないけれども、それが主体化のモメントになるのではなくて、参加して活動していることそのものが主体化につながっていくような政治であるのかもしれませんね。

千葉　根本的に敵対関係によって動機づけられるものではないような主体化、ということですよね。そのような政治は可能か。まさに反シュミット的な政治ですね。

でも、それこそがコミュニズムだと思います。コミュニズムが言っている「コミューン」とは、敵友関係がない、遊びの共通地平を拓くということですよ。歴史的な共産主義運動は、はっきり敵を作ってやってきた。その歴史から言えば、いま言ったような遊びとしての共通平面を立てるというのは、どちらかというとアナキストが考えてきたことだと思います。

國分　アレントも実はそれに近い。目的や利益なしの政治を考えているわけだから。

クール、レスネスの遊戯空間

千葉　アレントの純粋な公共空間って、極端に突き詰めれば、何も決定しない社交空間ですよね。パーティーですよ。

というのも、アレントが考えた公共性のアクションの空間は言語によって成立するわけです。そして、そのような空間が目的的というよりは、共存することを目的とするような、つまり脱目的性こそを目的とするようなものであるとするならば、それは遊びの空間になる。社会の中にそういう空間を分離できるかどうかは別問題として、理念としてはそうなると思います。

そうだとすると、アレントの公共空間が言語的空間だということは、まさに言語の定義と一致します。つまり、直接的に何かを実現するのではない、間接的で、迂回的なもの、玩具的なものであることと一致する。結局、言語空間を言語の本性において徹底するならば、それは遊戯空間になるわけです。

國分　遊戯空間こそがアレントの考える自由の空間ということですね。そしてソリューションの政治には自由はまったくないし、行政による統治は自由とは無関係に実現可能である。

千葉　現実の政治は、資源の配分なり国境なり、有限性によって印付けられているから、その中でソリューションを出さざるを得ない。だから純粋な言語空間にはなり得ず、どうしても非政治的なものと政治とのハイブリッドになってしまいます。むしろ、いま言ったような政治空間が純粋に実現されているのは文学であり言論なんですよね。

國分　政治を遊戯空間と捉えると、左派ポピュリズム的な空間との違いもはっきりわかりますね。遊戯空間は先述した「使用」と結びついている。自分が言葉を使いながら主体へと生成変化するわけですね。それに対して、「空虚なシニフィアン」によって動員される空間では、何かを使うのではなく、いわば情動的に自分がその「空虚なシニフィアン」によって支配されてしまうのではないか。

千葉 そうですね。ポピュリズムはホットだけど、遊戯空間はクールなんですよ。遊戯空間は、それが遊戯だとわかっているので、夢中になってもやめられる。ホットに沸騰している状態はやめられないでしょう。

國分 そこは大事な点だね。娘が小さいときに一緒に砂場でトンネルや山を作ったりしていると、自分も夢中になってるんだよね。「トンネルが通ったぞ！」みたいな（笑）。でも当たり前だけど、その夢中はファナティックなホットとは正反対で、「あ、五時になったから帰らなきゃ」と、すぐにやめることができる。簡単に元に戻れる。

千葉 いまのはわかりやすい比喩ですね。僕だったら、遊戯は社交という言い方をします。これはジンメルを引きながらベルサーニが言ってることですが、社交性は自分の実存を一〇〇%懸けて関わることじゃなくて、自分をより少なく、「レス」にして関わることだということですね。ベルサーニは、社交性とは「レスネス」だと言ってます。

さらに面白いのは、ベルサーニは、そもそも事物一般がそうなんだと言ってるんですよ。あらゆる事物の相互関係は、レスネス的な社交的関係が基礎的なのではないかと存在論的な思弁までしている。さきほど大竹さんを引いた「事物の政治」ともつながってきますよね。

國分 アレントも丸山眞男も、政治における偽善、ある種の演技の必要性について語っています。演技もレスネスですね。自分を一〇〇%は出さないわけだから。逆説的にも、偽善とか演技がないと政治というのは幼稚なものに堕落していってしまう。政治ではどう見えるかが重要だから。どう見えるかを意識する偽善や演技の能力こそ、政治で必要なものでしょう。

他者に依存していることを認める

千葉　問題は、どうすれば遊びとしての政治空間を実現できるかということですね。いまやインターネットも、小さな目的や利益が衝突を繰り返す合目的な空間に塗りつぶされつつあります。

おそらくそこで重要になってくるのが、僕らが繰り返し議論している「権威主義なき権威」をどう作っていくかということです。それは歴史性を尊重することだという点は確認してきました。ただ、歴史性を尊重する、大事にするといっても、放っておけばそうなるわけでもありません。なんらかの意味で尊重させる、大事にさせるという強制性が伴うことになる。

でも対談の冒頭に言ったような知の民主化がそこに立ちはだかっている。つまり、インテリの教養主義などふざけんなという反エスタブリッシュメントの動きが強まっている。それはそれなりに倫理的な重要性がある抵抗ですから、無視できないと思っているんです。

國分　それを無視できないというのは僕も共感します。では、そのうえでどうすればいいか。

千葉君はどう考えますか。

千葉　まず大事なのは、自分が他のものに依存していることを認めることだと思うんですよね。いまの平等化は、みんなが自己権威化している状態になっている。個々人が小さな権威になってぶつかっているわけですよ。

でも、人間が思考するときには、必ずその素材なり何なりをどこかよそから持ってきている。常に他者依存的に動いている。これはラカンを持ち出すまでもなく、何らかの他者のイメージとか他者の言語を参照しないことには、主体化できないわけですよね。にもかかわらず、まるで自分が自分一人で存在しているような勘違いをしている人たちが多数いるのが現在の状況です。

われわれが「権威主義なき権威」と言うことで何を呼び起こそうとしているかというと、われわれは常に何か、他なるものを参照してきているんだということ。根本はこれだと思います。

そのうえで、われわれ人文学者は、そのことを「歴史性」という言葉で言っている。常に何かのテクストを参照して考える。それを絶対視するわけではないけれど、さしあたり、あるテクストに依拠して語るということをやっているわけですよ。

僕が『勉強の哲学』で広めようとしたのも、自分は他者によっかかっているということです。それはある種の謙虚さを導入するということですね。

國分　なるほど。それも「使用」とつながってきますね。自己権威化とは自分が他者を通じて主体化したことの忘却であり無視である。人は必ず何かを使用することで主体化していってるはずですね。そのことが認められれば、自分が主体化するときに「使用」した他者や物に対する敬意やそれを慈しむ心も出てくる。

　これは何度でも強調したいところだけど、言語というのは社会や親から押しつけられて使用しているわけですね。言語は自分のものではなくて、他なるものである。

千葉　レイシズムの問題もそこにあります。他者を敵対的な鏡として使うことによって主体化する人たちが、いま、主体化で困っている人たちなわけですから。

國分　それは使用関係でなく、支配関係なんだよね。

千葉　そう。そこから使用関係に抜けていくことで、別の主体化に導いていく。そういう政治的実践はあり得るんじゃないかということですよね。

グローバル資本主義下で問われる「主体化」

國分　フーコーが晩年、古代ギリシアにあった「自己への配慮」というのを論じますよね。アガンベンはこの議論について、いい線まで行っているんだけど、フーコーは肝心なところで使用の関係を摑み損ねているために、自己の使用として語られるべきであった問題を、自分で自分をどう支配するかという問題にすり替えてしまっていると指摘するんですね。

具体的にはフーコーも論じたプラトンの『アルキビアデス』という対話篇を引いています。対話の中でソクラテスは「使う者と使われる物は違いますよね」と言う。たとえば靴職人がナイフを使って皮を切るとき、ナイフと靴職人は別である。だから、使用関係において、使う者と使われる物は区別されねばならない。でも面白いことに、そこで話をやめておけばいいのに、ソクラテスがさらに議論を進めて、「しかし、靴職人は自分の手や目も使うのではないかね」と言うんだよ（笑）。そうすると「あれ？」となっちゃう。

千葉　ソクラテス、半端ないですね（笑）。

國分　プラトンがそこで「ここには支配関係と違う、使用関係がある」と気づいていたら、違う哲学史が始まったかもしれない。あらかじめ存在している主体が何かを使うのではなくて、使用の中で主体化が行われるという哲学が生まれたかもしれない。でも、プラトンはなんとしてでも使う者と使われる物は違うという図式を維持しようとするから、人間においては魂が身体を使っているのだ、魂が使う者であり、身体が使われる物なのだというわれわれのよく知る図式がそこに出てきてしまう。つまり、魂が身体を支配する関係で人間を考えてしまうわけです。

僕は哲学史において、この時こそ中動態の論理が抑圧された瞬間ではないかと思うんです。

『中動態の世界』の中で、「中動態を抑圧することで哲学ができあがった」というデリダの言葉を紹介しているけれど、使用を支配に還元したこの瞬間こそ、プラトニズムが誕生した瞬間ではないかとすら思う。

千葉　「主体化」という概念は、いま本当に考えるべき問題だと思います。グローバル資本主義が全体的に事物を脱文脈化し、何でも交換可能な状態にして流動化させていく。その結果、自分の固有性が失われ、何とでも交換できる入れ換え可能なものになっていくわけです。そのときに、どうやって自分の固有性ある特異性をもう一回取り戻すか。それが主体化の問題と関わっているわけです。

　グローバル資本主義に対するバックラッシュとして生じている、レイシズムとセットになったナショナリズムも、自分は自分なんだということをなんとかして言おうとしている症状だと思うんです。

國分　主体化という概念をさらに練り上げていくことで、そうした悲鳴をどう受け止め、それにどう応えていけばいいのかも見えてくるのではないかと思います。

第五章

エビデンス主義を超えて

対談日　二〇二一年七月九日

「炎上」したアガンベンのコロナ発言

國分　二〇一七年に千葉君と最初に対談してから四年が経ちました。二〇二一年に対談するにあたって、コロナ禍の問題を無視することはできないので、そこから入りましょうか。

　コロナについて少し数字を調べてみたんです。二〇二〇年の年末の段階だと、感染者数は世界で約八〇〇〇万人で、それが二〇二一年七月現在、一億八〇〇〇万人まで増えています。死者は二〇二〇年末の段階で一七五万人だったのが、現在は四〇〇〇万人です。この間、感染者数も死者数も猛烈に増えたということです。

　ただ、これをスペイン風邪と比較してみると、数のうえでは大きな違いがある。実際に国立感染症研究所のサイトで調べたところ、スペイン風邪の場合、世界の人口の三分の一、約五億人が感染し、死者は少なく見積もって四〇〇〇万人、多く見積もると一億人という数字がある。つまり、スペイン風邪の感染被害はコロナと比べて一桁、多く見積もれば二桁違うんですね。

　この数字を見てもわかるように、コロナ・パンデミックは歴史上あった感染症の被害に比べて、極端にひどいわけではないんですよ。にもかかわらず、社会は非常に大きく変化しているんじゃないかというのが、まず投げかけたい問いとしてあります。その大きな変化の一つとして、自由と安全を秤《はかり》にかけたときに、考えられないほど、安全に傾いていることがあります。スペイン風邪のときには、それほどの変化はなかった。

だから今回のコロナ禍は、確かに本当に悲しむべき被害はあるんだけれども、その被害とは相関しつつも、ある面ではそれとは独立して社会の変化が猛スピードで起こっている。そしてその変化には、もともとあった傾向がコロナ禍で強力に推し進められたという面があります。

そのもともとあった傾向とは、わかりやすいもので言うと健康中心主義であり、もう少し広く言うと二〇世紀末ぐらいからのキーワードだったセキュリティの問題です。かつてはテロによってセキュリティの危機が煽られていたけれども、いまはそれが疫病によって煽られている。つまり、生きるか死ぬかという問題になったときに、健康・安全のためには自由の制約もやむを得ないという感じでそれを受け入れさせてしまう状況が、コロナによって加速しているわけです。しかも、それが右派の国家主義的な方向からだけでなく、左派的な方向からも「政府はしっかり管理しろ」という形の政府批判として出てきています。

ここで言及しておかねばならないと思うのは、ジョルジュ・アガンベンのコロナについての発言です。アガンベンは、僕に言わせればもともと保守的な傾向がある思想家ですが、安全と引き換えに易々と死者の権利や移動の自由を引き渡す社会に対して、強い警鐘を発しました（アガンベン『私たちはどこにいるのか？——政治としてのエピデミック』、青土社、二〇二一年）。

コロナ禍のなか、死者たちが葬式もなされぬままに埋葬されている。人々はそれを受け入れ、驚くべきことに教会ですらそれについて何も言わない。しかし、死者が埋葬の権利をもたない社会、死者の権利を踏みにじる社会で、倫理や政治はどうなってしまうのか。そもそも、生存だけを価値として認める社会に意味があるのか。アガンベンはそう問いかけるわけです。

移動の自由についてはこう言います。過去にも深刻な伝染病はあった。にもかかわらず、それを理由にして移動の自由すら奪う緊急事態宣言を行うことなど、戦争中ですら誰も考えなかった、と。

その結果、世界中の哲学研究者から総スカンを食らい、「炎上」騒ぎが起こるわけです。でも僕は、アガンベンの挙げた二点はコロナ禍を考えるうえで極めて重要な問題を含んでいると思うんです。

右・左とは違う新たな分割線

千葉 コロナがもともとこの社会にあった傾向を加速させたというのは、その通りだと僕も思います。ひと言で言うと、コロナは資本主義に投入されたハイオクガソリンのようなものです。スペイン風邪の場合にはまだ、現代的なテクノロジー社会が十分に成立していなかった。監視や規律といった近代的な統治戦略が技術的に仕上がる前の段階だったから、そのときに社会の混乱が起こったとしても、現在と比べてシステムの変化はゆるやかだったでしょう。逆に現在は、たとえコロナより小規模な感染被害であっても、社会システムに対して大きなインパクトを持ったと思うんです。

とにかく現在は異常事態にかこつけて、さまざまな制約が次々に降って湧いてきています。経済再生担当大臣が酒の取引停止をゴリ推ししようとした例などその典型です。ただ、トータルに考えれば、結局、資本主義＋国家というシステムをどうやって延命させていくかが大命題になっている。そのシステムを延命させるために、余分なものとしての自由を、この際一気に根こそぎにしてしまえという加速が働いている気がするわけです。

こうした状況に対して、右・左の分割線とは違う分割線が引かれているんじゃないでしょうか。つまり、絶対安心・安全という側と、リスクと共に生きていくことに人間的意味を見いだす側の分割線がいま引かれていると僕は思うんです。

國分　以前、千葉君が作った「たばこと政治の相関関係」という図がありますね。この図の左上にある「ネオリベラリズム＋普遍主義」とは、リベラルな立場から無迷惑社会に賛同する左派の禁煙推進派のことだと説明しています。つまり千葉君は、右と左以外の対立軸を設定しないと、左派のリベラルがネオリベラルな国家主義と通底してしまうことに気づけないんだということを、この図で言おうとしているわけです。その分割線が、いま言った安全・安心かリスクとの共生か、というものですね。

千葉　そうです。アガンベンは後者ですよね。彼にとって、安心・安全を至上命題にすること

たばこと政治の相関図

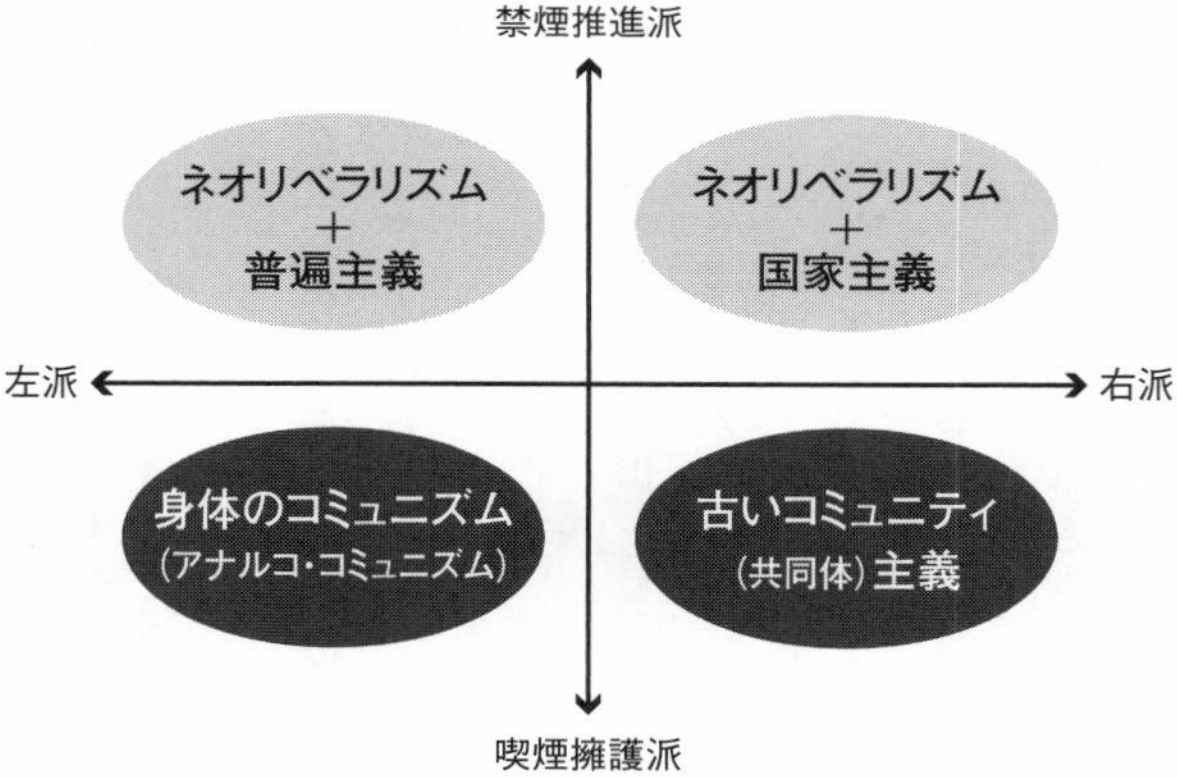

は、死が無意味になることでもある。それだったら、リスクと共にあったとしても、意味がある死を死ぬべきだという立場をとっている。というのも、つまりアガンベンは、現在は収容所における人間の扱いと似たものが全面化していると捉えているからです。収容所で死ぬことは意味のある死ではない。「ホモ・サケル（剝き出しの生）」だから。それより犠牲のほうがはるかにマシだし、人間の本来性があるというのがアガンベンの話で、筋は通っているんですよ。

國分　そうなんだよ。ほかにもアガンベンは、コロナのなかの教会や宗教者に対して、殉教者たちの教えを忘れたのか、信仰よりも命を犠牲にする用意がなければならないと厳しく問い質しているんです。僕はそう言うアガンベンに共感するところがあるし、実際二〇二〇年はさまざまなイベントやメディアでアガンベンのことを話した（たとえば、二〇二〇年五月二三日放送NHKBS1スペシャル「コロナ新時代への提言〜変容する人間・社会・倫理〜」）。けれども、僕自身にはアガンベンのように発言する勇気まではなかった。

否定性とともに生きていく意味

千葉　アガンベンの投げかける問いは、ネガティビティ（否定性）の問題にもつながっています。かつては、セクシャル・マイノリティが世の中に対して、どこか否定的で斜に構えた態度をとることにクィア・ポリティクスの本質があったと僕は思いますが、最近はそうではなく、まともな市民としての包摂を言う方向性が強まっています。要するに、すべてのマイノリティが不快な思いをせず、安全に生きられればいちばんいいんだ、という考えが強まっているわけです。

　僕はそれがマイノリティの問題のすべてなのかとつねづね疑問を感じています。やっぱり、多少苦労があったり、お互いに対する否定的なものがあったりしても、それとともに生きていくことにこそ、人間的な意味があるんじゃないのか。アガンベンのように「殉教」とまで行かなくても、否定性とともに生きていくことが、意味のある死を死ぬことにつながると思うわけです。逆に、何も考えなくても自分の安全が確保されて、予防医療で病気もぎりぎりまで抑えて、死ぬときに死にますという死に方はすごく空寒いものがありますよ。

國分　否定性とともに生きていくというのは、抽象的に言うと難しく感じられるけど、具体的に考えればよくわかることなんだよね。それこそ否定性がなかったら勉強なんかできない。博士論文を書くのは苦しいし、卒論を書くのも苦しい。投げ出したくなるかもしれないけれど、苦しいと思いながら乗り越えることで成長するんだし、得るものがあるわけです。だから何か苦労をし、不快さとともに生きていくことは、人間らしさの一つだと言いたいですよね。

ただ、こういう話をすると、当然その大前提には、市民としての権利が保障されているからでしょうという話が出てくる。

千葉　だから、市民的な普遍性をどういう形で世の中に実装していくかを、もう一度考えなきゃいけないわけです。ありとあらゆる中間集団を全部なくすような、単一平面上の、文字通りの市民を実現するべきなのか。それともさまざまなクラスタや中間集団、階層がありながら、理念としての市民性との緊張関係を持ち続けていくのか。そこは人によって感度が違っているけれど、いまはどちらかというと、市民を文字通りに実現したがっている方向性が強くなってきている気がするんですよ。

一方で、僕はマイノリティとして、差別されても別のクラスタでありたいと思っています。それに、こっちはこっちで逆に異性愛文化を小バカにしたりするわけだから、それはもうお互い様です。

國分　何か小競り合いすることをとにかく避けようとする傾向は本当に強まっていますね。それはアイデンティティの問題だけじゃない。たとえばつまらない話だけど、最近、ケーキを買うと「これでよろしいですか？」って確認させられるんです。ショートケーキとチョコレートケーキって言ったんだから、よろしいも何もないと思うんだけど。ああいう対応は昔はなかったよね。あれは、こちらの言質をとろうとしているんです。

千葉　それで責任回避しようとしているんですね。いまは言質を取るという法務的発想が全国民に広がっているという（笑）。

國分　本当にそうです。僕が『中動態の世界』で意志概念を批判しているのも、結局、法律的な発想ですべて説明したり、解決したがるようになってきているからです。千葉君が指摘した、近代の抽象的な市民を本当に実現しようという傾向も法務的発想なんだよね。具体的な人間が生きている状況を想定するよりも、法律的な権利の水準で全員一緒にしてしまえばもうそれでいいじゃないか、というね。

千葉　そこに無意識はないわけですよ。すべて意志か、不作為か、という単純な話になって、無意識のうちの事情みたいなものが問われなくなっていくんです。分析哲学でやっている自由意志の議論を見ても、基本的には法律の発想なんだと思うんですよね。責任帰属という法学的な問題を基礎づける位置に分析哲学が置かれている。つまり、世の中の公共的な問題を基礎づけることが哲学者の役割みたいになっているわけです。

一方で、大陸の哲学の議論はその枠組み全体の外部を問題にしているわけでしょう。中動態もまさにその外部だから。

國分 特に二〇世紀の哲学は、限界までその外側について考えようとしていました。最近、ＹｏｕＴｕｂｅでデリダの動画を見ていたら（Derrida: “What Comes Before The Question?”）、問うことは大事だけど、問うこと以前に何があるのかを考えないといけないという話をしていて。これなんて外側を思考するわかりやすい例だと思ったんです。

千葉 いま、そういう法外なことを考えさせないようになっていますよね。かつては「法外」が倫理的な意味合いを持っていました。でもいまは、とにかく法律の枠内で生きるのが市民であって、それ以外のことを考えると、居場所がなくなる感じがあります。

國分 法外なことについて考えること自体が許されなくなっているんだね。さらに言えば、法務的な思考は、千葉君がたびたび指摘してきたエビデンス主義とも関係しているんです。

エビデンス主義という責任回避

國分 エビデンスには、反権威主義や民主主義的な側面もある。これは熊谷晋一郎さんがよく挙げている話だけれど、医療にはもともと強力なパターナリズムがあって、たとえば、脳性麻痺はきちんとリハビリをやっていけば健常者になれると言って、リハビリさせていた。それに対して、そんなエビデンスはないと突きつけて、パターナリズムを批判してきた歴史がある。エビデンス主義には民主主義的な側面があって、熊谷さんはその重要性も指摘します。僕もその点、熊谷さんに深く同意します。

ところが、エビデンス主義には別の側面があって、非常に少ないパラメータだけを使って真理を認定するので、個人の物語を無視するわけです。斎藤環さんは、ブラシーボで治るならそれが一番いいと新聞に書いたら、エビデンスがないと強烈に叩かれたらしい。自分が治ったということは、本人にとっては大事な物語なのに、エビデンス主義は「それは誰にでも通用するわけじゃない」「科学的に根拠はない」と民主主義的な暴力で叩き潰してしまうところがあるわけです。

エビデンス主義が掲げる科学主義は宗教的なものの危険に対して極めて敏感であるわけですが、他方でそれ自体が狂信的になっている感がある。つまり、一方にはエビデンス主義が批判する、エビデンスなき新興宗教のようなものが確かにあるけれども、他方でエビデンス主義そのものが宗教みたいになっているのではないか。

千葉　エビデンス主義も結局、一定のエビデンスだとされるものだけを信じていればいいという意味で宗教だし、それを否定すると反科学主義になって、オカルト的なものを信じる宗教になってしまうということですよね。

本当はそうじゃなくて、何らかのデータであるにせよ思想にせよ、その有効性の軽重を測って調整することが重要なのに、そういう主張がなかなか理解されづらくなっているんですよ。一つの同じ原理で行動していればいいと思ったら楽だから、どうしてもそうなってしまいやすいわけです。

つまり、状況によって判断することの難しさと責任から逃れようとしていると思うんです。その意味で、エビデンス主義も法務的発想と同じように責任回避に使われやすい。だけど、状況によってどのエビデンスを採用するかという選択の問題だってあるし、人間は決定的な保証のない判断を引き受けざるを得ないこともある。それをとにかく回避したがる風潮が蔓延《まんえん》しているわけです。

それは組織論にも言えることで、たとえばカリスマ的な経営者に属人的に依存しているような組織はダメで、そういう人がいなくなっても回るシステムを作ることが優先されます。でも、全面的にその方向に行くのは問題だと思うんです。魅力がない人の組織なんてろくなもんじゃないでしょう。次の天才を見つけてくることはやはり大事なんですよ。

國分さんが言うように、エビデンス主義が民主化だというのはその通りで、要するに誰でもいい、誰でもできる世界を目指しているわけです。個の力は必ずしも信頼できないから、安定的なシステムを作りたいということなんだろうけど、一方で、今日のそういう民主化傾向には、何か個人が突出することを嫌がり、誰かを引きずり下ろすルサンチマン的な傾向もある。そこで嫌われたり、非効率だとして退けられたりしていることをどう考えるかが、いま問われているわけです。

國分　オカルトとエビデンスという対比を考えると、オカルトが帰依であるとしたら、エビデンスは責任回避ですよね。たぶん、どちらも近代社会に対する反発なんです。オカルトのほうは、余りに大きな課題を自分一人では担いきれないと感じる人が何か大きなものに自分を委ねようとすることでしょう。

　ではエビデンス主義の責任回避のほうはどうかというと、これには前史があると思うんです。意志概念に基づいて、個人に過大な責任を負わせるシステムを作ったら、逆説的にもそのシステムを信じている人ほど、この過大な責任を避けたいと思うようになった。その結果としてエビデンスだけに従うマインドが出てくる。責任主体を立ち上げようとしていたがゆえに、エビデンスやルールに従うことでその責任を回避するという無責任な社会が出てきてしまう。

　もちろんね、民法、刑法的な側面では意志は大事なんです。僕は『中動態の世界』を出版して以降、ずっと意志概念の批判をやってきているけれども、それをなくしてしまえなどとは思っていない。それはそれで社会を運営するうえで必要だから。でも、個人が自由に物事を選択していて、その背景に意志があるというのはフィクションに決まっている。もしかしたら近代の初めにはそれはフィクションだとある程度理解されていたのかもしれないけれども、いまはそれがリアルだと勘違いされてしまったために、エビデンス主義のような変なことが起こっていると思うんです。

千葉　最近のネットでの炎上騒ぎもそうだけど、責任を取らせようという力がすごく強くなっていますよね。何かあったときに責任をはっきりさせて、謝らせる、罰するということが強くなったら、そりゃ回避したくなりますよ。

そういう帰責性から逃れるような思考が人間のリアリティには必要だとするなら、それは赦《ゆる》しの問題になるし、たとえ責任があるとしてもそこを追及しすぎないとか、ある程度適当に流すといった曖昧な対応をしなければいけない。そういうものが生活レベルでは重要です。

つまり話は二段階になっていて、生活のレベルで地に足が着いた形で物事を流すことができていれば、昨今のような巨大な責任回避問題はむしろ起きないんですよ。だから僕は、人類としてのデフォルトが失われたからこういうことになっている、と単純に思うわけです。

重層的な時間をどう取り戻すか

國分　最近、一般に「責任」と翻訳されるレスポンシビリティ（responsibility）を、インピュタビリティ（imputability）から区別するべきではないかと主張しているんです（國分功一郎、「中動態から考える利他――責任と帰責性」、伊藤亜紗編、『「利他」とは何か』、集英社新書、二〇二一年）。責任がレスポンシビリティであるなら、それは目の前の事態に自ら応答（respond）することですね。それに対し、インピュート（impute）というのは「誰々のせいにする」という意味で、責めを負うべき人を判断することであって、これを「帰責性」と呼ぶことができます。

　今日の議論で言えば、いまはインピュタビリティが過剰になって、それを避けることにみんな一生懸命だから、レスポンシビリティが内から湧き起こってくる余裕がないという状態ではないか。レスポンシビリティはまさに中動態的なもので、「俺が悪かった」とか、「俺がこれをなんとかしなきゃ」とか、ある状況にレスポンドしようという気持ちですね。

　ところがレスポンスを待つ雰囲気がいまの社会にはない。とにかく誰かが俺にインピュートしてくるのではないか、俺のせいにしてくるかもしれないということばかり考えているから、責任回避が過剰になる。

　千葉君の話と結びつければ、日常生活でレスポンシビリティを待つことができていれば、インピュタビリティが過剰になったりしないと言えるのではないか。さらに言えば、レスポンシビリティは法外なものと関わっている。自分の気持ちだから。

だから、この「法外なもの」について、もっと考えないといけない。たとえば、正義とは法外なものだというデリダの認識がありますよね。法に適《かな》うように行為することは、あらかじめ法によって正しさを保証されているわけだから、正義でもなんでもない。正義とはそういった法の後ろ盾がないところである判断を下し、行為することだと。

千葉 計算を超えるわけですよね。

國分 そう。一番わかりやすい例は、良心的兵役拒否です。たとえばベトナム戦争に私は行かないというのは、その時点では明らかに違法行為だけれども、それが正義だったことは後からわかるわけです。

ポイントは時間にあって、ジャスティスのほうは時間がかかる。いまはむしろコレクトネスばかりで、それは瞬時に判断できる。判断の物差しがあるから。社会がそういう瞬時的なコレクトネスによって支配されているから、時間がかかるジャスティスやレスポンシビリティが入り込む余地がなくなってきている感じがします。

千葉 現在では法と矛盾するけれども。未来時点においてはコレクトになるかもしれないという別の時間性、時間の多重性を導入するのがジャスティスの問題ですよね。それは未来方向にもそうだし、過去からの経緯や歴史を踏まえることによって、瞬時的な判断とは別の判断を行うという形でも多層性を含んでいると思うんです。

だから、歴史性を考慮することと、未来に向けてのジャスティスを考えることはつながっている。それがどちらもなくなっているというのは、やや抽象的に言うと、すべてが空間化されているということですよね。不可入性の原理、つまり一つの場所を二つのものが同時に占めることはできないから、どちらかを取るという話にしかならない。

部分的に賛成と反対が共存することを複数の時間性において考えるようなことを言うと、「何をごちゃごちゃ言ってるんだ」という話にしかならず、議論にならないんですよ。逆に、すべてを空間的に並置して、不可入性の原理で話をすっきりさせることが民主化という話になっている。それがエビデンス主義のポリティカルな対応物だと思うんです。

國分　時間性を抹消するいまの世の中というのは空間化しつつあるのではないのかという指摘は非常に鋭いと思います。そしてその空間は均一的なものである。だとすれば、空間の多元性のようなものを確保できれば、時間性が再び生まれていくことも期待できるかもしれない。

これは月並みな指摘だけど、インターネットが出てきて、どこの空間も瞬時につなげるようになってしまって、距離がなくなってしまったわけですね。

千葉　距離がなくなるというのは、時間がなくなることですよね。

國分　移動する時間がなくなることだからね。昔は、ある場所からある場所に行くのに時間がかかった。ところが、空間が瞬時に結びつけられるようになったことで空間の多元性がなくなり、時間もなくなっていき、すべてが瞬時的なものになってしまった。

千葉 よく考えたり、熟成させることがなくなるわけですよ。

國分 じゃあどうしたらいいのかというと、言説が少しずつ発酵したり、醸成したりしていくような空間の多元性に近いものを作り出していくことが必要ということになるかな。

千葉 いま、そういう試みは増えてきている感じがあります。昔ふうにブログをやる若い人が増えていたり、SNSの時間軸とは違うところに身を置こうとしている感じがあります。それは違う時間を導入しようということだろうと。

國分 目指すところは重層的な時間を復活させることなんだけど、その時間がなくなった原因が空間の多元性の消滅なんだから、なんとかして空間の多元性をある程度確保することで重層的な時間も結果として復活するかもしれない、と。問題は、空間の多元性が、たとえばサロンの閉鎖性みたいな形で、オカルト的な方向にも向かいうるということかな。

千葉 ただ、空間を多元的にするってそういうこともある程度は含むと思います。民主的な開放性を一貫させるのではなく、秘密結社とか、何か怪しい団体からしばしばラディカルなものが出てくる。厄介なのは、それこそ課金でもしないと障壁を作れないんですよね。お金を払って買うものは、変な炎上しませんし。

言葉は「魔法」である

國分　そうすると、なお一層、公的な場所とそうでない場所との割り振りが難しくなるね。大学でオンライン授業が始まったとき、僕が最初に言ったのは、教室は全然パブリックなところじゃないということです。パブリックじゃないからこそ好きなことが言えるし、間違ってもいい。その閉鎖性は教室の自由を確保するために大切なことであるわけです。けれども、他方で、教室があまりにもクローズドになってしまったら、今度は教員が専制君主みたいになるという問題がある。だから、半ばパブリックで半ばプライベート、開かれているが閉じられているというのが教室にとって大事だったと思う。

けれども、いまや講義で話をするときにもいつも公のものを恐れなければならなくなっているのではないか。少し話を大袈裟にしているように聞こえるかもしれないけれども、ハイデガーが『ヒューマニズム書簡』の中で「言葉が公共性の独裁に隷従するようになっている」と指摘しているのを思い出します（マルティン・ハイデッガー、『「ヒューマニズム」について――パリのジャン・ボーフレに宛てた書簡』、ちくま学芸文庫、一九九七年、二六頁）。本当にそれを感じるんです。

千葉　言葉という大きなテーマに戻ってきましたね。人間ってやっぱり言葉で現実を織りなしているわけです。言葉というフィクションのレイヤーで包むことによって、人間は生きていくことができるわけだから、そこを疎《おろそ》かにすることは、人間らしさを損なうことになるんですよ。

言葉は危ないもので、場合によっては、ひと言で人間の振る舞いを大きく左右することができる。科学の力を魔法のように言ったりしますけど、原爆なりなんなりを作ることができる科学者の行動自体をひと言で変えることができてしまう言葉のほうがよっぽど魔法だと僕は思います。でも、だからこそいま、文系を抑圧する動きが高まっていると言ったら、アイロニカルに過ぎるのかもしれないけれど、そういう意味でも言葉の軽視はひしひしと感じるわけです。

國分　言葉で人を動かせるというのは、言葉で人間に欲望を作り出すことができるということかもしれない。確かにそれは「魔法」です。情報や数字は認識は与えるけれど、欲望を作り出すには言葉が必要なのではないか。政治というのは基本的に言葉でやるものだというハンナ・アレントの主張も、情報や数字ではなくて言葉でやるのだというふうに理解しなければならない。人を動かすのは言葉なのだということです。

千葉　さきほど話した属人的なものの忌避も、言葉の失墜とつながっていますね。言葉の力があまりに強くて怖いので、言葉をなくそうというほうに向かっているんじゃないかとすら言いたくなります。

　トールキンでもドラクエでもいいですけど、ファンタジーの世界に出てくる魔法って、基本的に言語のメタファーだと思っているんです。魔法使いって古文書を読んだりするじゃないですか。あれは文献研究者のメタファーなんですよ。

國分　その魔法としての言葉を使わなくなって、ある種の情報管理だけになってきているということだよね。

千葉　情報は匿名的で、システマティックで、それこそ誰が発しても同じものだけど、言葉は人間の固有性、人間の複数性ということに絡んでくるんです。まさにアレント的な言い方ですけどね。

講義は「コンテンツ」ではない

國分　それで思い出したけれど、アレントの『人間の条件』に、ギリシアの政治家、デモステネスの話が出てきます。

　ある男が自分が殴られたことをデモステネスに話した。するとデモステネスは「君はそんな被害を実は受けなかったようだ」と返す。男が声を荒げて「被害を受けなかっただと？」と叫ぶと、デモステネスはようやく「いまやっと、被害を受けた本人の声が私に聞こえてきたよ」と返答したという話です（『人間の条件』、ちくま学芸文庫、一九九四年、一一三頁、原注（8））。

　言葉を媒体として思想を表現するという考えは古代にはなかったのであり、デモステネスが言おうとしているのは、言葉と思想は切り離せない、ある言葉がどう発せられるかとその言葉は一体であるということだとアレントは書いています。

まさしく弁論家、雄弁家は、演説の言葉が情報ではないことをよく知っているわけだよね。彼らは、同じ言葉であっても、言い方によって、語り方によって、状況によって、まったく別様に通じることを知っていた。

　僕らも講義で、同じような場面に遭遇していると思います。ドゥルーズも『アベセデール』で、哲学について語るためには独特のトーンが必要だと言っている（ジル・ドゥルーズ、前掲、教師P comme Professeur）。最近は、シラバスに書かれたプログラム通りに話をした十数回の講義をパッケージングしてほしいというプレッシャーがすごく強いけれど、講義なんて流れの中でいろいろ変わっていくものだし、その場のノリがすごく大事なんですよ。どう発すればこの言葉が学生に届くのかをいつも判断しながらしゃべっているわけだから。

　少し余談になるけれど、この前、憲法学の石川健治先生のシラバスをネットで見ていたら、「講義とは本来、筋書きのないドラマであり、転調に転調を重ねながら展開されてゆくべきものである」と書かれていたのを読んで、一人で大笑いしながら「そうだ！　そうだ！」って深く同意したんだけど、これは当たり前のことなんですよね。

千葉　そう思います。でも、パッケージングしたほうがいいという人たちがいるのは、まさにそれも潜在していたものの表面化ですよね。大学をそういうコンテンツ産業として取り扱いたい人っているわけです。ものを考えることに目覚めてない学生もそれでいいと思っているし、なんなら倍速で見たほうが効率的だというわけです。でも、そうじゃないということに、実際に現場で気づいていく空間が大学なわけですから。

國分　そこで気づいてほしいよね。前にも話したけれど、授業はその内容以上に、先生の理解の仕方という思想を同時に受け取っているんです。その先生の思想に触れることが、内容を自分なりに理解したり、吟味したりしていくうえですごく大事なんですよ。

千葉　『勉強の哲学』ではそれを「教師の有限性」に触れることなんだと言っています。その有限性から学ぶんですよね。教師の有限性と自分の有限性を照らし合わせたところで何かが起こることが主体化だから。

國分　そういう意味では、面と向かい合って授業をすることには大きな意味があると思う。教師の思想に触れている学生たちの顔が、また教師のほうに戻ってくるから、教師もさらに自分の思想を吟味して内容を伝えるようにできる。簡単に言えば、「あっ、これだとダメなのかな？」とその場で反省的になれる。講義というのは内容の伝達であると同時に、そうした理解の仕方という思想のレベルでのコミュニケーションであって、それを通じて教師も学生も成長していくわけですよね。

千葉　対面授業を久しぶりにやってみると、教室という空間に張り巡らされている力の線を強烈に感じたんです。複雑でものすごい厚みがあって、プールの中に浸かってるみたいなんですよね。

それまではオンデマンドで録ったものを視聴する形でしたが、それだとただしゃべっているだけ。リアルタイムのオンライン講義も、対面のときの場の力には及びません。

同じ空間にいると、時間や視線を共有している共犯関係があって、無数の糸が張られている中で、糸を複雑に操りながら話している。その空間を満たしている、非常に抽象的な力場みたいなものをコントロールして何事かを伝えている。いわば全身芸術です。だからすごくスポーティーな疲れで、「ああ、授業したな」という喜びもある。オンラインとは全然違うものだと強く思いました。

國分　ドゥルーズも『アベセデール』で、授業をしながら、学生たちのテクスチャーができていくんだという話をしていますよね（ジル・ドゥルーズ、前掲）。フランスって授業が長くて、二時間半もある。二時間半も一人の人間の話を聞いているのは無理だと。しかし、ある話をすると教室のある部分がふっと顔を上げる。別の話題ではまた部分がふっと顔を上げる。そうやってずっと話を続けていく中で、学生たちのテクスチャーができていく。授業って、そういう力の場だよね。

ドゥルーズ自身だって授業をしながら、そういうテクスチャーに身をさらして学んでいったことがもちろんあると思う。だから、人と人が会って、話をすることはどうしたって、オンラインには置き換えられないものがあるんです。

千葉　それこそ情報という言葉を使えば、はるかに多くの情報が飛び交っているわけですからね。

真理とレトリックとの綱引きの中で

國分　さきほどデモステネスの話をしたけれど、ドイツでロックダウンをしたときのメルケルの演説は、外国人として聞いていても非常に心打つスピーチでした。メルケルは東独出身だから、移動の自由が持つ重みを身にしみてわかっている。だから、移動の自由の権利を奪うことは絶対にあってはならないけれども、今回、それをしなければどうしても対応できないので、わかってくださいと。ああいうスピーチを見ると、まだ世界には、生きた言葉を使っている政治家もいるのだと少しだけ安堵します。けれども、日本はコロナでもオリンピックでも、対応も言葉もどうしようもなかった。

千葉　本当にあまりにもグダグダなんで、かえって日本人の間では言葉への渇望が生まれたかもしれないですね。政治的な意識が後押しされるんじゃないかという気がしましたから。

國分　みんな、腹立てているよね。

千葉　右・左問わずに怒ってますよ。

國分　仮に言葉への渇望が政治への不満を通じて出てくるとしたら、それは言葉同士の戦いという正統な政治的戦い、ある意味では健全な戦いが生まれることになる。もしかしたら、政治家はきちんと言葉を磨くようになるかもしれない。

ちょっと歴史を遡りすぎかもしれませんが、弁論家というのは古代ギリシアでプラトンによって徹底的に叩かれたわけですね。あいつらは言葉をきれいに飾るだけで、真理がわかっていない、と。でも、いまは全然状況が違う。情報と統計による管理があまりにも行き過ぎてしまったわけだから、言葉で人を動かすことの大切さが少しずつ理解されつつあるのではないか。

千葉　それは哲学に対するレトリックの重要性、弁論家の重要性が再認識されるという逆転とも言えますね。ソフィストは大事だったと。レトリックには真理に直行する時間性とは違う時間性がある。もちろん、それは悪いようにも使われるかもしれないけれど、人間はそれなしに純粋思念体みたいなものとして社会を営むことはできないわけですからね。だとしたら、僕たちは真理とレトリックとの綱引きの中で生きることを再確認すべきでしょう。

國分　人間は純粋思念体のようなものにはなれない。だから、真理とレトリックの間で綱引きをしている。この綱引きの中で言葉を磨いていくことの大切さをこれからも訴えていきたいと思います。

國分さんと話すのは楽しい。僕にとって、とても話しやすい人だ。

國分さんの話はいつもシャープで、清々しく、かつ肉体的な厚みがある。理が明快なのはもちろん、かつ豊かに情を湛えている。國分さんは僕の話をよく聞いてくれる。僕も、相手の話をよく聞いて反応するよう努めているつもりだが、國分さんもそうしてくれる人で、だから話しやすい。多少踏み込んだ話題を持ちかけても、いつも深い懐でキャッチしてくれる。そして話しているうちに互いが徐々に変化していく。ただ各自のコンテンツを一方的に出し合うのではない。互いに触発を受けて、共に、しかし必ずしも同じようにではなく、生成変化していくのである。

僕が親しくする人たちにはそういうコミュニケーションが共通していると思うが、とくに國分さんは長きにわたって深い話をしてきた間柄である。

余談だが、もっと上の世代になると、かなり一方的にしゃべり倒すような人が多い印象がある。それはたぶん、ラジオやテレビの時代だったからではないか。その時代の知識人は一人でひとつの放送局のようにしゃべるのである。しかも、対談相手に求めるのも別の放送局たることで、「君もこんなふうにしゃべり倒してみろ」と迫られているように感じる。そうなったらがんばるしかないが、正直、苦手である。もっと1ターンの発話が短く、双方向に絡み合わせるような、あやとりのような対談が僕にはデフォルトで、それはインタラクティブ・メディアの時代に育ったからかもしれない。

本書は、まず國分さんの『中動態の世界』、次いで千葉の『勉強の哲学』の刊行記念対談から始まり、最近収録したものまで含めて、結果的に「言語」をめぐる危機感を語り合うものとなった。これは結果的にであって、そうなるように対談を積み上げていったわけではないから、こうしてまとめて読み直したとき、思いの外一貫性があることに僕は驚いている。もっとも、人文学者なら、何を論じてもどこかで言語の問題に突き当たるのは自然なことである。本文中でも言われているが、文系における言語（について考えること）の重要性は、理系における数学の重要性に相当するだろう。

言語の力が衰退しつつある、というのを、僕は隠喩や多義性の衰退として捉えており、それをよくツイッターでも言っている。また、そのことが本質的に「性」のあり方の変化に関わっているとも考えており、それについては二村ヒトシ・柴田英里との鼎談『欲望会議』（KADOKAWA、二〇一八年）で論じているので、そちらも参照していただければ幸いである。

ブログやツイッターからインスタグラムへ、さらにTikTokへという流れは、隠喩や多義性が弱体化し、より直接的な知覚と情動が優位になっていく過程を示している。仕事においても、長い複雑な文章は嫌われ、パワーポイントの色とりどりの図が好まれるようになった（哲学の学会発表でさえそうなっている）。こうした変化に眉をひそめるなら、保守的に見えるかもしれない。もちろんパワポは適切に使えばいいし、視聴覚的なＳＮＳの魅力もある。だが、そうした現象の背後では何か深刻なことが起きていると僕は感じるし、そしてそれがあまり気づかれていないと思うのである。國分さんはこの点について話が通じる稀な人で、だから機会があるたびに、いろんな主題のついでに「言語が消滅する」という思弁的可能性について語ってきた。

この間、二人は活動範囲を広げたが、僕の方では小説を書くに至ったのが大きな変化だ。本書にはそれ以前の、文学に対する考えが含まれている。最初の対談では、僕は小説は苦手だと述べていた。人間が「バカ」であるがゆえに起きるトラブルに依存するようなドラマ性を批判している。このとき僕は、むしろ詩に、しかも「言語そのもの」を彫刻的に取り扱うような実験的な現代詩に肩入れしていた。この箇所は一種のユーモアとしての誇張的な言い方なので、ギョッとする読者もいるかもしれない。その後、小説に対する考えはある面では変わり、ある面では変わっていない。人間ドラマのただなかに、現代詩にも似た抽象的な幾何学を見出すことができるようになった、と言えるかもしれない。それは、人間の愚かさを描くことを受け入れないままで受け入れるような、奇妙な弁証法である。小説はすばらしい、だからいつか書きたいと願っていて書くに至ったのではない。小説に対する、僕なりに根本的だと思う違和感を通して、小説とは何かという問い自体を含む小説を書くことになった。だからその経緯を残している。

他にもいろいろと「強い」言明があるかもしれないが、それは「おしゃべり」ならではのことで、試しにある種の極端を言葉にすることが創造的な開口部を照らすことになるかもしれない、と期待するがゆえである。僕が好むのは、対立関係によって結論を限定していくディベートではなく、自由に浮動する「おしゃべり」である。究極を言えば、個々の哲学者には別の世界像があり、どちらをとるかは決められない。ドゥルーズ＋ガタリは『哲学とは何か』において次のように言っている。

> 哲学者はみな、「ちょっと議論しよう」という文句を聞いただけで逃げだしてしまう。議論は、円卓会議にふさわしい。だが、哲学者が数字の入ったいくつかのさいころを投げるのは、別の卓においてである。最小限言えることは、対話者たちはそれぞれけっして同じことがらを語らないので、議論は仕事を進めないだろうということだ。
>
> （ジル・ドゥルーズ＋フェリックス・ガタリ『哲学とは何か』財津理訳、河出文庫、二〇一二年、五三頁）

哲学者はそれぞれに世界との向き合い方を練り上げており、そのそれぞれに価値がある。これは哲学それ自体の多元論である。こうした哲学観を批判し、議論を通して何か普遍的な「世界のOS」みたいなものを追究するのが哲学だ、というような、科学的と言えるだろう哲学観もあるのだとは思うが、少なくとも僕はそういうタイプではない。世界の本質をいろんな角度から捉える。そのそれぞれが面白い。それでいいじゃないかと思うし、それはすこぶる倫理的なことである。

僕たちはここで、たんに主張を交換しているのではなく、ひとつひとつのキーワード、概念について解釈をめぐらせている。それは今や古風とも言えるやり方かもしれず、今後ますます、一単語や引用句にこだわって話をできる機会は減っていくのかもしれない。この対談自体が、古き良き「言語の時代」の記録になるのかもしれない。本書が読者のそれぞれの仕方で言語の存在意義を改めて考える契機となれば幸いである。

千葉雅也

著者略歴

國分功一郎《こくぶんこういちろう》

一九七四年、千葉県生まれ。東京大学大学院総合文化研究科博士課程修了。博士（学術）。東京大学大学院総合文化研究科・教養学部准教授。専門は哲学・現代思想。著書に『スピノザの方法』（みすず書房）、『暇と退屈の倫理学』（朝日出版社、第二回紀伊國屋じんぶん大賞受賞、増補新版：太田出版）、『ドゥルーズの哲学原理』（岩波現代全書）、『来るべき民主主義』（幻冬舎新書）、『近代政治哲学』（ちくま新書）、『中動態の世界』（医学書院、第一六回小林秀雄賞受賞）、『原子力時代における哲学』（晶文社）、『はじめてのスピノザ』（講談社現代新書）など。訳書に、ジャック・デリダ『マルクスと息子たち』（岩波書店）、ジル・ドゥルーズ『カントの批判哲学』（ちくま学芸文庫）など。

千葉雅也《ちばまさや》

一九七八年、栃木県生まれ。東京大学大学院総合文化研究科博士課程修了。博士（学術）。立命館大学大学院先端総合学術研究科教授。専門は哲学・表象文化論。著書に『動きすぎてはいけない』（河出書房新社、第四回紀伊國屋じんぶん大賞、表象文化論学会第五回学会賞受賞）、『勉強の哲学』（文藝春秋、増補版・文春文庫）、『メイキング・オブ・勉強の哲学』『アメリカ紀行』（ともに文藝春秋）、『ツイッター哲学』（河出文庫）、『意味がない無意味』（河出書房新社）、『デッドライン』（新潮社、第四一回野間文芸賞受賞、第一六二回芥川賞候補）、『ライティングの哲学』（共著、星海社新書）、『オーバーヒート』（新潮社、「オーバーヒート」第一六五回芥川賞候補、「マジックミラー」第四五回川端康成文学賞）など。

幻冬舎新書 634

言語が消滅する前に

二〇二一年十一月二十五日 第一刷発行
二〇二一年十二月 十 日 第二刷発行

著者 國分功一郎＋千葉雅也
発行人 志儀保博
編集人 小木田順子
発行所 株式会社 幻冬舎
〒一五一-〇〇五一 東京都渋谷区千駄ヶ谷四-九-七
電話 〇三-五四一一-六二一一(編集)
〇三-五四一一-六二二二(営業)
振替 〇〇一二〇-八-七六七六四三
ブックデザイン 鈴木成一デザイン室
印刷・製本所 株式会社 光邦

検印廃止

Printed in Japan ISBN978-4-344-98636-7 C0295
こ-18-2

幻冬舎ホームページアドレス https://www.gentosha.co.jp/
*この本に関するご意見・ご感想をメールでお寄せいただく場合は、comment@gentosha.co.jp まで。